목회통신 1

목사와 교인의 만남

이종형 지음

쿰란출판사

사 람은 만남으로 인생을 시작합니다. 한 부부가 만 남으로 생명이 잉태되어 태어나며 부모와 형제를 만나고 친구와 배우자를 만납니다. 학교와 스승을 만나고 직장과 동료를 만납니다. 사람만 아니라 때와 환경을 만나며 그 속에서 인격이 성숙하고 열매를 맺음으로 이 웃과 사회에 기여하게 됩니다. 여러 가지 만남 가운데 어떤 만남은 축복이 되고 어떤 만남은 슬픔과 고통이 되기도 합니다. 어떤 만남은 어둠을 빛으로, 갈등을 평화로 바꾸기도 하나 그 반대의 경우도 있습니다. 병이 들었을 때 좋은 의사를 만나 치료를 잘 받음으로 건강하게 살 수도 있지만 때로는 그렇지 못한 상황이 될 때도 있습니다.

영원을 추구하는 사람은 신앙생활을 위해서 교회와 목사를 만나고 교회와 목사는 교인을 만납니다. 이 만남은 무엇보다 서로에게 축복이 되어야 합니다. 만남은 고정된 틀이 아니므로 사람과 형편에 변화를 가져오며 발전하거나 퇴보하기도 합니다. 만남을 통해 목적 있는 건강한 교회, 신실하고 헌신적인 교인, 주님을 닮은 희생적인 목사가 만들어집니다.

제게 있어 목회자로서 시카고 한미장로교회와 만난일은 큰 축복이었습니다. 저는 30년 역사를 지닌 이 교회

Preface

에 6대 목사로 부임하였습니다. 처음에는 시카고 한인장로교회로 시작하였으나 시세로 한인교회를 거쳐 한미장로교회가 되었습니다. 이름이 바뀐 데는 그만한 사연이 있다고 봅니다. 전임 목회자들은 모두 이름만 들어도 알 수 있는 훌륭한 분들이었습니다. 그들은 꿈이 많은 분들이라 오래 있지 못하고 더 큰 사역을 찾아 옮겨갔습니다. 이분들을 이어서 부임하는 것이 부담도 됐지만 동시에 목회자로서 섬기며 성장할 수 있는 좋은 터전이 되기도 하였습니다. 교회와 목사가 함께 주를 향해 자라가고 서로 사랑하는 공동체를 만들어 사명을 수행할 수 있다는 것은 감격스러운 일입니다.

이 교회에 부임하년서부터 주보에 목회통신란을 만들어 교회와 신앙생활, 역사와 현실, 교인의 질문 등 각 분야에 걸쳐 목사가 생각하고 있는 바를 솔직하게 표현하였습니다. 설교와는 달리 교인들이 간단하게, 쉽게 읽을 수 있게 하였습니다. 주보를 받으면 많은 교인들이 목회통신부터 먼저 읽는 것을 보며 그 가치와 필요성을 알 수 있었습니다. 다른 많은 목회 분야가 있지만 이 목회통신을 통하여 목사와 교인이 만남으로 교인은 목사를 이해하고 목사는 더욱 교인을 이해하며 하나의 공동체가 되기를 소원하였습니다.

한미장로교회에서 12년여 사역한 후 8개월의 안식년을 가지고 2007년 3월 마지막 주일에 은퇴하기에 앞서 그간의 목회통신 자료를 모아 「목사와 교인의 만남」, 「목자와 양의 만남」이라는 제목의 두 권의 책으로 출판하게 된 것을 감사하며, 이 책을 읽는 독자, 목회자와 교인들에게 본서가 조금이나마 도움이 되기를 바랍니다. 일선 목회 사역을 마감하고 은퇴할 수 있도록 복을 주신 하나님을 찬양하며 감사 드립니다.

2007년 3월 2일

이 종 형 목사

Preface

신앙과 생활에 큰 도움 준 글들

지난 10여 년 동안 매주 한미장로교회 주보에서 읽을 수 있었던 이종형 목사님의 목회통신 난은 그 주간에 일어난 중요한 시사를 알려주는 뜻있는 소식 난이었을 뿐 아니라 그 사건의 자세한 내용과 중대성을 알게 하였습니다. 아울러서 그 시사의 사건이 하나님의 말씀에 비추어서 무엇을 뜻하는가를 풀이해 주셔서 하나님께서 우리에게 주시는 교훈이 무엇인가를 알려준 귀한 해석이었고 신앙의 지침이었습니다. 또 목회통신은 목회자와 교인과의 관계를 부드럽고 가깝게 하며 저의 신앙생활에 크게 도움을 주는 귀한 글이기도 했습니다. 교회에서 매주 주보를 받을 때면 목회통신을 먼저 읽게 되는 즐거움이 있었습니다

이제 그 많은 글들이 모아져서 "목사와 교인의 만남" "목자와 양의 만남" 이라는 제목의 책으로 출판되어서 많은 분들에게 읽히게 되니 복잡하고 혼미한 우리의 사회생활과 신앙생활에 큰 도움이 되리라고 믿으며, 감사를 드립니다.

2007년 3월 2일

최 용 규

(한미장로교회 장로, 연장자를 위한 교회 수요학교 학감,

시카고 기독교 방송국 이사장)

영적 갈증 채워준 신앙의 길잡이

사람은 누구나 생각하는 대로 보는 초점이 다릅니다. 성령님은 이종형 목사님의 눈을 열어 어떤 환경과 사물이라도 하나님의 관점으로 보도록 하셨습니다. 그러하기에 주옥 같은 말씀들을 엮어 12년이 넘도록 한 주도 빠짐없이 성도들에게 목회통신 서한을 보내주셔서 주일 설교 다음으로 우리의 마음 가운데 크게 비중을 차지했고 깊이 있는 설교 말씀과 다름 없었습니다.

지구촌 곳곳에서 일어나는 크고 작은 일들을 성경 말씀에 비추어 볼 뿐 아니라 가정, 교회 혹은 우리 생활과 연결시켜 소박하고 극히 작은 일들까지 세심하게 놓치지 않고 우리가 이해하기 쉽게 표현하여 주님께 드리는 심정으로 성도들에게 전하신 것은 우리 모두가 주의 강한 군사로 세움을 받아 세상에서 승리하도록 훈련시키신 과정이기도 했습니다.

더욱이 교인들 모두 목회통신을 받아 읽고 중보기도로 담대히 하나님께 나아가 주님 품 안에서 떠나지 않는 영적 생활로 성장할 수 있었습니다. 목회통신은 사도 바울이 감옥에서 여러 교회에 편지하여 믿음의 형제들이 하나 되어 흔들리지 않도록 격려하신 것과 같습니다. 목

회통신은 영적인 갈증을 채워 주고 신앙의 체계를 잡아준 시원한 길잡이가 되었습니다.

성령님께서 목사님을 인도하시지 않고서는 도저히 매주 받아 볼 수 없는 귀한 목회통신이었기에 한미장로교회 교인으로서 목사님을 담임목사로 모시고 영적 교훈을 받은 것이 자랑스럽고 기쁩니다.

목사님의 사역과 목회통신은 양들을 이리와 강도로부터 보호하고 우리에게 풍성한 꼴을 먹여 주기 위하여 푸른 초장과 쉴 만한 물가로 인도하신 목자의 삶이었다고 생각됩니다.

목회통신을 모아서 만든 〈목사와 교인의 만남〉, 〈목자와 양의 만남〉을 읽으신 분들에게 주님의 평안과 기쁨이 함께하실 것을 믿으며 기도합니다.

2007년 3월 2일
홍 지 원
(한미장로교회 집사, 자유기고가)

Contents

제1부 잃어버린 영혼을 찾으시는 하나님

제2부 감사하는 기쁜 마음

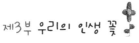제3부 우리의 인생 꽃

Contents

제4부 새벽 행진

잃어버린 영혼을 찾으시는 하나님

아직 넓은 인생의 바다에 잃어버린 영혼들이 많기에
하나님은 그들을 찾는 일을 지금도 계속하시며
이 일에 참여하라고 우리를 부르십니다.
이제 이 일에 기쁨으로 응하지 않으시겠습니까?

>>> 성직자와 **평신도** <<<

교회에는 성직자와 평신도의 구분이 있습니다. 성직자는 하나님의 부르심을 받은 자로서 세상에서 다른 생업 없이 전적으로 주의 일에 헌신한 사람들을 말합니다. 장로, 집사 등의 직분도 하나님이 불러주신 거룩한 직분, 곧 성직이지만 세상에서 생업을 가지고 살면서 삶의 부분으로 주님을 섬기기에 평신도라고 합니다. '평신도(laity)'라는 말의 어원은 '하나님의 백성(laos)'입니다. 성직자도 평신도도 모두 하나님의 백성입니다. 그런데 하나님을 섬기고 신앙생활을 하는 데 있어서 성직자와 평신도는 전문성과 비전문성으로 구분됩니다. 예배를 집례한다거나 성경을 읽고 해석하는 문제에 있어 특별한 교육을 받은 전문성이 있는 자와 그렇지 못한 자로 구분이 된 것입니다.

중세와 유럽의 교회는 국가교회 형태여서 철저하게 성직자 중심이었습니다. 성직자가 교회의 모든 일을 책임지고 수행하며, 평신도는 단순히 따르기만 하면 되는 것입니다. 국민들은 종교세를 지불하고 성직자들은 교회에서 일을 했습니다. 성직자들은 다른 공무원이나 마찬가지로 정부에서 생활비를 지급받아 생활하고, 교회의 활동이나 비용도 정부에서 책정되어 나왔습니다. 일반 신도들이 열성을 가지고 교회 일에 가담할 필요도 없었습니다.

미국의 교회는 유럽 교회의 연장으로 시작되었습니다. 교회 설립과 행정 등 모든 면에서 유럽 정부와 교단장의 지도를 받아야 하는데 대서양이 가운데 있는 관계로 문제가 많았습니다. 미국으로 이민 온 성도들이 교회 설립과 성직자 파송을 본국에 요청하여도 응답이 늦어지거나 응답이 없었습니다. 그렇다고 정치와 종교의 분리를 원칙으로 삼고 있는 미국 정부가 도울 일도 없었습니다. 그래서 성도들이 자체적으로 해결할 수밖에 없게 되었습니다. 평신도들이 지도력을 가지고 교회를 설립하고 목회자를 청빙했습니다. 성직자가 교회를 설립할 때에도 역시 평신도의 헌신이 있어야만 했습니다. 여기서 평신도가 중심되는 새로운 형태의 교회가 시작되었습니다. 한국의 교회나 한인 이민교회는 처음부터 미국 교회의 선교와 영향을 받아 평신도가 중심되는 교회로 신속하게 발전하였습니다.

한국 교회의 문제 중에 교회 운영권과 행정력을 둘러싸고 생기는 갈등이 있습니다. 진정한 평신도 중심의 교회는 평신도들이 목회자에게서 훈련을 받아 교회의 존재 목적과 사역 전반에 철저하게 헌신하고 참여하는 것입니다. 그리스도의 몸된 교회는 각 지체가 적절한 활동을 함으로써 고루 건강해지는 것입니다. 우리 교회의 활동과 사역은 예배, 선교, 교육, 친교와 봉사, 서무 관리, 재정 등 9개 위원회와 38개 부서로 나누어져 있습니다. 여기에 성도들이 각각의 은사를 따라 적극적으로 참여하여 활동함으로 건강하고 살아 있는 교회를 이룰 수가 있습니다. 자신을 위해 교회를 위해, 여러분은 일정 부서에 참여하여 열심히 활동하기를 부탁합니다.

>>> 율법과 은혜 <<<

자동차를 운전하다 보면 간혹 티켓을 받는 경우가 있습니다. 다운타운은 교통량이 많기에 길가에 주차하는 것이 문제가 될 때가 있습니다. 도로가 한가한 교외에서는 과속이 문제될 때가 많습니다.

얼마 전에 정한 시간이 얼마 안 남아 급하게 장례식을 집례하러 가다가 경찰에게 정지를 당하였습니다. 과속을 하였다는 이유였습니다. 사정을 말하면서 양해를 구하였더니 티켓을 빨리 써 주겠다면서 얼른 가지고 오긴 했지만 운전면허증은 압수당하였습니다. 법 앞에는 용서와 자비가 없었습니다.

그런가 하면 뜻하지 않게 은혜를 입을 때가 있습니다. 지난 연말 한국에 갔다가 1월 1일에 돌아오는데, 보통처럼 대합실에서 기다리다가 탑승이 시작되었습니다. 제 차례를 기다리며 줄을 서 있는데 스피커를 통하여 몇 사람의 이름을 불렀습니다. 마지막으로 제 이름도 부르면서 게이트 앞으로 오라고 하였습니다. 무슨 문제가 생겼는가 하고 갔더니 항공사 직원이 항공기 탑승권을 달라고 하였습니다. 잘못한 일이 없는데 비행기를 타지 못하게 하는 것인가 하고 염려하고 있었는데 그는 다른 항공기 탑승권을 건네주었습니다. 프레스티지 클래스의 항공기 탑승권이었습니다. 깜짝 놀랐습니다. "무슨 일입니까? 마일리지가 얼마되지 않지만 그 마일리지 덕분입니까?" 하고 물었더니 그는 "오늘 당신의 복입니다" 라고 하였습니다. 2층으로 올라가라는 안내를 받았습니다. 평생 처음으로 가 보는 곳이었습니다. 탑승자가 많지 않고 자리가 넓고 봉사요원이 많았습니다. 다리를 펴 얹을 수 있는 것도 있었습니다. 갈비찜, 산채비빔밥, 잡채밥 등 일반석에서는 상상하지 못하는 메뉴가 있었습니다. 넥타이 선물까지도 받았습니다. 서울에서 시카고까지 13시간을 편히 쉬는 마음으로 잠깐 사이에 올 수 있었습니다.

먼 여행을 했다는 피곤도 모르고 공항에 도착하여 집으로 가는 길에 성도의 집에 저녁 초대를 받고, 식후에는 초상이 난 성도의 집으로 가 예배를 드리고 장례 준비를 하였습니다. 할 일이 많이 기다리고 있으니 여행길에 잘 쉬라고 하나님께서 배려하신 것이라 생각하며 감사하는 마음이었습니다. 정월 초하루부터 특별한 은혜를 입었으니 금년에는 기쁜 일이 많이 있겠다는 기대도 해 보았습니다.

하나님의 은혜가 이러합니다. 그리스도가 오시기 전에 우리는 죄와 율법에 얽매여 영원한 형벌의 고통을 겪어야 했습니다. 자비와 용서가 없었습니다. 예수께서 오셔서 우리 죄의 형벌을 대신 담당하시고 우리를 위해 영원한 생명길을 여셨습니다. 믿음으로 주님의 인도를 받기만 하면 영생의 축복을 누리게 됩니다.

제1부 잃어버린 영혼을 찾으시는 하나님

>>> 연약함의 축복 <<<

미국에 와서 사는 것이 좋게 생각되는 경우가 많습니다. 중고등 학생의 경우 미국에 와서 몇 달만 지내 보아도 이곳에서 살고 싶어합니다. 한국에서는 입시를 위하여 밤늦게까지 학교에서 수업을 해야 하고 또 과외공부를 하며 시달리는 데 비하면 어느 면에서 이곳은 학생들의 천국과 같이 느껴지기 때문입니다. 일반인에게도 여러 가지 좋은 점이 있습니다. 그러나 다 좋은 것은 아닙니다. 언어와 문화가 다르기에 자신의 재능을 다 발휘하지 못하고 적절한 인정과 인격 대우를 받지 못하는 아픔이 있습니다. 말만 제대로 한다면 별 문제가 없을 것도 말이 통하지 않아 무능함을 느끼고 포기해버릴 때가 있습니다. 자녀교육을 하는 데도 자녀들이 자라날수록 실제적인 도움을 주지 못하는 무능함을 발견합니다. 답답한 것이 한두 번이 아닙니다.

목회도 마찬가지입니다. 이전에 학교에서 교편을 잡고 있을 때에는 교안을 준비하고 교실에 가서 정성껏 가르치고 학생들의 성적을 처리해 주면 되었습니다. 목사로서 설교하고 성경 공부를 인도하고 성도들을 심방하고 행정하며 열심히 일하는 것은 즐거운 일입니다. 믿지 않던 사람들이 주께로 돌아오고 성도들의 믿음이 자라나며 교회가 성장하는 것을 보는 것은 참으로 감사한 일입니다.

그러면서도 무능을 느낄 때가 참으로 많습니다. 성도들 중에 육체가 병이 들고 정신이 약하여 고생하는 자들을 봅니다. 가정에 불화가 생긴다거나, 직장과 사업에 문제가 일어나 어려움을 겪고 있는 자들을 봅니다. 그들은 생각하며 마음에 동정과 아픔을 가지고 안타까운 심정으로 간절하게 기도합니다. 여러 경우에 변화가 생깁니다. 어려움에서 해방되고 새로워집니다. 그런데 많은 경우에는 아무런 변화가 보이지 않습니다. 예수님께서 오셔서 그 문제를 보시면 확실하게 해결해 주실 수 있는 것을 아는데 나는 아무런 힘이 없음을 발견합니다. 몸이나 시간을 드려 할 수 있는 일이 있다면 모두 할 수 있지만 그렇지가 않습니다. 그래서 답답함을 느끼며 "주여, 언제까지 기다려야 합니까" 하고 부르짖기도 합니다.

하나님은 그런 제게 새로운 은혜와 발견을 주십니다. 믿음과 기도는 하나님과 온전한 인격적인 관계인 것이지 우리의 소망대로 이루어 가는 요술방망이가 아니라는 사실입니다. 때로는 건강할 때 보다는 연약한 때에, 성공했을 때보다는 실패한 때에 하나님과 더욱 나은 관계를 맺게 됨을 발견합니다. 실패하지 않고는 주님을 만나지 못할 때가 있습니다. 무능함을 깨닫지 못한다면 주님을 더 의지하지 않을 것입니다. 하나님은 당신의 목적을 위하여 시련과 역경으로 우리의 인격을 다듬고 새롭게 하심을 발견합니다. 스스로 해결하지 못하는 문제가 있을 때, 서로 관심을 갖고 기도하며 협력하고 사랑을 나누는 축복을 누리게 됩니다.

>>> 교회의 강단 구조 <<<

이번에 본당 강단 부분을 새롭게 개조하고 새로운 분위기에서 지난 주일예배할 수 있게 된 것을 기쁘고 감사하게 생각합니다. 개조하기 전에는 처음 오는 성도가 우리 교회 본당에 들어서면 보통 예배당과 조금 다른 것을 발견했을 것입니다. 예배당 벽에 창이 없고 실내가 팔각형으로 되어 있었고 바닥에 카펫이 없이 벽돌로 되어 있었기 때문입니다.

저는 예배당을 건축할 당시에 없었기에 본 예배당의 구조를 이렇게 한 것에 대하여 잘 알지 못하지만 이민 교회로서 정성을 들여 특색있게 건축했던 의도로 볼 수 있습니다. 원래 계획은 보통 교회에 있는 강대상을 따로 만들지 않고 목사가 가운데 서서 예배를 인도하고 회중은 둘러 앉도록 했다고 합니다. 강대상이 있는 강단 부분과 회중석을 분리하지 않고 목사가 회중 가운데 들어와서 목사와 회중이 친밀하게 하나가 되는 것을 의도하였다고 합니다. 예수님께서 하늘의 보좌를 떠나 이 땅에 오셔서 죄인인 우리와 함께 거하신 것을 기억하면서 동시에 모두가 평등하다는 민주적인 원칙을 고려한 것이라고 봅니다.

그러나 실제로 회중이 모이고 예배를 진행하는 데 있어서는 처음 의도와는 달리 여러 가지 불편함이 많아 강단을 다시 만들었다고 합니다. 그러다 보니 벽과 문을 가리기 위해 내벽을 쌓아야 했고, 이로써 미관을 해치기도 하였습니다. 벽에 십자가를 부착하고 보니 십자가와 회중석 중간에 내벽이 가로 놓이게 되어 강단 부분이 좁아져서 특별 행사가 있을 때마다 강대상을 옮겨야 하는 어려움도 있었습니다.

미관과 공간 활용뿐 아니라 신학적인 면을 생각하여 십자가와 회중 사이에 장벽을 제거하고 강단 부분을 조정하기 위하여 개조 공사를 시작했습니다. 여러 성도들이 헌금하고, 일을 맡은 분들이 성심으로 헌신하여 잘 완성된 것을 감사합니다. 이제 강단 부분이 다소 넓어져서 강대상을 옮기지 않아도 되고, 오케스트라와 핸드벨을 위한 자리도 마련되었습니다. 강단이 약간 높아졌습니다. 강단이 낮아 뒤에 있는 사람들이 하나님의 말씀을 선포하는 사람을 볼 수 없으면 전달의 효과가 많이 떨어지기에 누구든지 눈과 눈으로 서로 마주 볼 수 있게 하였습니다. 무엇보다도 이제 누구든지 장벽 없이 십자가 아래 바로 나아갈 수 있게 되었습니다.

성전에는 주님께서 임재하여 그의 영광으로 가득 차 있습니다. 강단에는 주님의 말씀이 나타납니다. 성전에 나아와 하나님께 예배하는 사람은 하나님을 가까이 만납니다. 이전에는 목사가 회중 가운데 서서 사람과 사람이 더욱 가까워지는 것을 의도하였지만, 이제 우리 모두가 하나님과 더욱 가까워지고 그를 만나며 그에게서 오는 말씀을 받음으로 우리 삶에 새로운 힘과 변화가 생기게 될 것을 소망합니다. 본당에 들어오는 모든 사람이 하나님의 사랑과 임재를 경험할 수 있기를 기도합니다.

>>> 시간 여유를 가지는 생활 <<<

시간이 참으로 빠르게 지나감을 실감합니다. 특별히 새벽 시간은 너무나 빠르게 지나갑니다. 새벽기도회를 위하여 일어나는 시간이 정해져 있지만 조금만 머뭇거리거나 지체하면 늦고 맙니다. 새벽만 아니라 하루가 그렇게 지나가고 있으니, 아직도 새해인 듯한데 벌써 2월 중반이 되었습니다. 흐르는 시간을 붙잡을 수 없으므로 열심히 일하는 것이 우리의 삶입니다. 미국 사람들은 부지런합니다. 하루 일을 일찍 시작합니다. 큰 도시는 새벽 5시부터 길이 차들로 붐빕니다. 우리 한국 사람들도 부지런합니다. 한국에서는 시작 시간은 늦어도 밤늦게까지 일합니다. 열심히 일하는 사람이 큰일들을 이루게 됩니다.

저도 열심히 일하는 사람이라고 생각됩니다. 열심히 일을 해도 일의 끝은 없습니다. 반복되는 일이지만 한 가지 일을 하면 또 다른 일이 기다리고 있습니다. 새벽부터 밤늦게까지 일한다고 하지만 무엇을 크게 이루었다거나 내놓을 만한 일의 열매가 있는 것도 아닙니다. 목회는 하나님께서 내게 맡기신 주의 일이요 교회의 일이기에, 내 삶을 다 바쳐 일한다는 생각으로 일하다 보면 자신이나 가정을 잊어버릴 때가 많습니다. 교회의 일 곧 교인의 일이면 언제나 뛰어 나가다 보니 가족과 함께 보내는 시간도 별로 갖지 못하고 있습니다.

오래 전 일입니다만 한번은 아내가 "목사님, 내게도 심방을 해 주십시오" 하는 웃지 못할 요청을 하였습니다. 이해는 되지만 주의 일을 먼저 해야 한다는 것 때문에 가족은 항상 뒤로 미루어집니다. 때로는 아침에 출근하고 저녁에 퇴근하여 가족과 단란하게 지내며 귀하게 신앙생활하는 성도들이 더욱 아름다워 보이기도 합니다.

클린턴 전 대통령이 재직할 당시의 일입니다. 그가 영부인과 함께 어느 저녁에는 영화 타이타닉을, 그 다음날 저녁에는 〈사도〉를 보았다는 기사를 읽고 저는 충격을 받았습니다. '가히 전세계의 살림을 사는 클린턴도 가족과 같이 시간을 보내는데 나는 클린턴보다도 더 바쁜 사람인가?' 하는 질문을 스스로 해 보았습니다. 물론 하나님의 일을 하는 사람이 더 분주할 수도 있을 것입니다. 그러나 여유를 가지는 것은 마음의 태도이며 일하는 것 못지않게 중요한 것임을 깨달았습니다. 자극을 받고는 지난 월요일 아내와 함께 〈타이타닉〉을 보러 갔습니다. 아내는 깜짝 놀라면서도 너무나 행복해 하였습니다. 저는 남편이 된 기분을 새로이 맛보았습니다. 저는 아내가 목사보다도 남편을 더 필요로 한다는 사실을 알게 되었습니다.

이는 부부간에만 해당하는 것이 아닙니다. 부모와 자녀간에도 깊이 있는 대화를 하며 함께 보내는 시간이 절대적으로 필요합니다. 또한 저만이 아니라 피곤하게 일하며 시달리는 우리와 자녀 모두에게 필요한 것입니다. 여러분의 가정에 행복이 있기를 간절히 기원합니다.

>>> 사람을 죽게 하는 것 <<<

부시 대통령 시절, 1991년 이라크가 약한 쿠웨이트를 강제 점령하였기 때문에 미국이 이라크를 폭격하였더니 이라크는 포기하고 철수하였습니다. 이라크가 석유 생산 국가로서 힘으로 횡포를 부리고 있기에 유엔이 아직도 경제 제제를 하고 있어, 일반 국민의 생활은 참으로 어렵다고 합니다. 이라크는 그동안 대량 학살 무기인 화학 생물 무기를 많이 생산해 비축하고 있다고 합니다. 유엔에서는 이를 조사하고 그 무기들을 폐기하도록 하고 있으나 이라크 정부는 유엔 조사단의 활동을 허락하지 않을 뿐 아니라 유엔 규정을 위반하고 있습니다. 따라서 미국은 유엔의 이름으로 이라크에 압력을 가하여 화학 생물 무기 공장을 찾아내고 그 생산을 중지시키고자 하는 것입니다.

이런 가운데 라스베이거스에서 미생물학자 해리스와 미생물연구소장 리빗이 '안트락스' 라는 박테리아를 실험하려고 하다가 체포되어 생물 무기가 얼마나 위험한가 하는 것을 경고하였습니다. 안트락스 균은 염소, 양, 돼지에게 발생하는데 이것은 사람에게도 감염이 됩니다. 호흡기를 통해 사람에게 감염되면 미열, 마른기침, 허약함의 증세가 나타나고, 2-3일이면 죽는다고 합니다. 이 균은 대량으로 배양하는 것이 매우 쉽다고 합니다. 놀라운 사실은 이라크가 이 안트락스 균의 샘플을 매릴랜드 락빌에 있는 연구실로부터 입수해 갔다는 것입니다. 이라크는 1991년 전쟁 때 이 균을 사용하겠다는 위협을 하기도 했으며, 지금 이러한 균을 많이 보유하고 있을 뿐 아니라 이것을 소형 무인 비행기로 이웃 나라에 공급할 수도 있습니다. 이것을 예루살렘에 발사하면 시민 대부분이 죽게 될 것입니다. 만약의 사태에 대비하여 이스라엘 국민은 지금 모두 방독면을 준비하고 있다고 합니다. 유엔은 이런 생물 무기와 화학 무기를 생산하거나 사용하는 것을 금지하고 있습니다. 세균 전쟁은 막아야 합니다.

일반적인 전쟁 무기는 우리의 육체적인 생명이나 국가의 시설을 위협하지만 그보다 더 위험한 것은 영원과 관련되는 영혼의 위협입니다. 이 세상에는 우리 영혼을 파괴하는 악한 균이 너무나 많습니다. 라디오와 텔레비전, 비디오, 인터넷, 일반 세속 생활은 하나님을 대적하며 우리를 하나님과 멀어지게 하고 영혼을 죽게 합니다. 뿐만 아니라 가정을 파괴하고 윤리와 도덕을 무너뜨리며 양심과 질서, 사랑과 평화를 뿌리 뽑으려는 움직임이 세균처럼 퍼지고 있습니다.

우리의 가정은 안전합니까? 우리가 하나님의 말씀으로 강건

사람을 죽게 하는 것

해지고 자녀를 교회에서 믿음으로 잘 양육하고 보호할 때, 우리 개인과 가정, 나아가 사회가 참으로 풍성한 생명의 축복을 누리게 될 것입니다.

>>> **자기** 관리 <<<

사람에게는 자기를 관리하는 것이 참으로 중요합니다. 특히 목회자로서 하나님과 정기적인 시간을 가지며 영성을 잘 관리하고 유지해야만 목회를 제대로 할 수 있다고 봅니다. 감정 관리도 잘 해야 합니다. 사람이 감정의 동물이라고 하지만 일단 감정을 터뜨리고 나면 취소하는 것은 불가능할 뿐 아니라 인격과 인간 관계에 많은 손상을 가져오게 됩니다. 체력도 잘 관리해야 합니다. 건강이 약하면 무엇이나 감당하기 어렵습니다. 섭생을 잘 해야 하지만 몸에 맞는 운동을 하는 것도 많은 도움이 됩니다. 제게는 이 세가지가 모두 중요한 것이지만 특히 지금 나이에서는 몸의 건강을 잘 돌봐야 교회와 성도들을 잘 섬길 수 있다고 생각됩니다.

10여 년 전에 딸이 아빠의 건강을 생각하여 크리스마스 선물로 놀딕 트랙이라는 크로스컨트리 형태의 운동기구를 사 주었습니다. 적어도 일주일에 세 번, 한 번에 15분 이상씩 운동을 해야 몸에 도움이 된다고 하였습니다. 딸이 아빠를 사랑하고 염려하여 선물로 사 준 그 정성을 생각하여 운동을 정기적으로 해야겠다고 생각하였지만 실제로 운동을 한다는 것은 쉬운 일이 아닙니다. 혼자 운동을 하는 것은 재미가 없는 일입니다. 지속하기도 어렵습니다. 그래서 헬스클럽에 가입하였습니다. 수영이 종합운동이어서 건강에 좋다고 하기에 수영을 하기 위해서였습니다. 그런데 물에 화학약품을 많이 넣어서인지 불행하게도 수영을 시작하고부터 몸이 간지럽고 불편하였습니다. 결국 수영을 할 수 없게 되었습니다. 오랫동안 헬스클럽을 잊어버리고 있었습니다. 그러다가 몇 년 전 교우 한 분이 심장마비로 소천하시게 되자 저의 건강을 염려하시는 장로님이 권유해서 병원에 가서 트레드밀로 심장검사를 하였습니다. 그 후 헬스클럽에 트레드밀 운동기구가 있음을 발견하고 다시 가게 되었습니다. 모두 열 대가 있는데 빈 자리가 없을 정도로 사람들이 많이 이용합니다. 시간을 내어 간다는 것은 쉽지 않지만 일단 가기만 하면 다른 사람이 열심히 하는 것을 보면서 자극을 받아 나도 30분간 운동을 할 수 있습니다.

운동을 나 대신 다른 사람이 할 수 없듯이 신앙생활도 나를 위해 다른 사람이 해줄 수 있는 것이 아닙니다. 신앙생활도 혼자 하려고 하면 어렵습니다. 장작이 모여야 불이 잘 타듯이 성도들이 함께 모일 때 힘이 생기고 서로를 격려하게 됩니다. 교회나 구역 등에서의 공적인 집회가 이런 면에서 중요합니다. 같이 모여 찬양하고 기도하며 말씀을 공부하고 간증할 때에 신앙의 격려와 힘이 생깁니다. 어려워도 일단 모이기만 하면 힘과 은혜가 될 것입니다. 집회마다 열심히 모일 수 있기를 바랍니다. 여러분의 영력이 자라기를 소망합니다.

제 부 잃어버린 영혼을 찾으시는 하나님

>>> 신앙 훈련 <<<

며칠 전 저는 쿡카운티에서 실시하는 방어운전교육에 참석하였습니다. 지난 1월 초 장례식을 집례하기 위하여 급하게 가다가 경찰에게 잡혀서 과속 티켓을 받았는데, 벌금을 내고 4시간의 교육을 받으면 교통 위반 기록을 말소해 준다고 하기에 교육을 받기로 하였습니다. 자동차 운전면허를 얻고 운전을 한 지가 25년이 넘었지만 혼자 자습을 한 것이지 한 번도 교육을 받은 적이 없었기에 직접 교육의 기회를 가진다는 것이 좋게 생각되었습니다. 그리고 교통 위반 기록이 올라가면 전과자가 되고 보험료도 올라갈 것이기에 교육을 받는 것이 좋다고 판단되었습니다. 시간에 맞추어 목적지에 도착하려고 몇 분을 빨리 가겠다고 과속을 했다가 경찰에게 잡혀서 티켓을 받는데 시간이 걸린 것은 말할 것도 없고, 벌금을 내고 교육비에다 4시간의 교육 시간, 오고 가는 데 걸리는 시간을 고려하면 참으로 큰 손실을 입은 것입니다.

교육장에 갔더니 저와 같은 처지에 있는 사람이 많아 교실이 꽉 찼습니다. 교통 위반으로 벌금을 내고 4시간의 교육을 받는 것에 대하여 억울하게 생각하는 사람들도 있겠지만, 교관은 그동안 실제로 교통 위반을 많이 하였지만 잡히지도 않고 사고가 나지 않은 것이 얼마나 다행한 일이었는가고 깨우쳤습니다. 사실입니다. 그동안 부주의하게 운전한 적이 많았습니다. 경찰에게 잡히지 않은 것 뿐이지 실제는 많은 위반을 하였습니다. 사고가 나지 않은 것이 퍽 다행한 일이었습니다. 사고를 피하고 안전하게 운전하는 방법에 대하여 4시간에 걸쳐 강의를 받은 것은 참으로 도움이 되었습니다.

지난 주간 네 개의 여선교회가 합동으로 2박 3일의 영성수련회를 가졌습니다. 이미 오랫동안 주님과 교회를 섬기던 분들이 참여하였습니다. 수련회에서 다룬 내용에 대하여는 대개가 이미 아는 것들입니다. 처음 듣는 내용은 별로 없을 것입니다. 그러나 수양회에 참석한 사람이 모두 좋아한 이유는 새로이 깨우침을 받고 신앙생활을 새롭게 하고 교회 봉사를 재다짐하게 되었기 때문입니다. 물론 처음 신앙생활을 시작하는 사람들에게도 교육이 필요합니다만 오랜 성도들도 수양회와 제자 양육 같은 기회를 통하여 스스로를 재발견하고 새로운 도전과 힘을 얻는 것이 반드시 필요합니다. 교회의 수양회나 신입 교우를 위한 입문교실이 이런 면에서 좋은 것입니다. 여러분을 위하여 제자양육 과정이 곧 시작됩니다. 여러분에게 큰 축복이 될 것입니다. 모두 등록하여 신앙 성숙의 새로운 기쁨을 가지게 될 것을 기대합니다.

□■ 목사와 교인의 만남 ■□

>>> 최고의 사면 <<<

김 대중 대통령은 재직할 당시 일반사면을 통해 약 530만 명을 사면하였습니다. 기록적인 수입니다. 국민이 4,600만 명이라면 평균 8명에 한 사람이 사면을 받은 것입니다. 놀랍게도 범죄자가 그렇게 많은 것입니다. 교도소에 수감이 되어 있던 자로서 사면을 받아 출감한 자도 있고, 이미 출감하였지만 전과자라는 딱지가 붙어 있던 기록을 말소하고 정상적인 국민으로 회복시켜 준 것입니다. 따라서 사면은 그 해당자에게 참으로 좋은 소식이었습니다.

예수 그리스도는 복음입니다. 예수님께서 공생애 사역에서 처음 하신 일은 "때가 찼고 하나님 나라가 가까웠으니 회개하고 복음을 믿으라"(막 1:15)고 전도한 것입니다. 전도는 좋은 소식을 전하는 것입니다. 세상에 사는 사람에게 하늘의 소식을 전하는 것입니다. 죄인에게 용서를 선포하는 것입니다. 죽을 자에게 생명을 전하는 것이요, 갇혀 있는 자에게 해방을 알리는 일입니다. 예수님께서는 자신의 사역에 대해 "가난한 자에게 복음을 전하게 하시려고 내게 기름을 부으시고 나를 보내서 포로된 자에게 자유를, 눈 먼 자에게 다시 보게 함을 전파하며 눌린 자를 자유케 하고 주의 은혜의 해를 전파하게 하려 하심이라"라고 설명했습니다(눅 4:18~19). 주님은 이 일을 하셨습니다. 자신이 십자가에서 우리를 대신하여 죄의 형벌과 죽음을 당하시고 부활하심으로 우리를 죄와 죽음에서 해방시켰습니다. 우리의 모든 죄의 문서를 말소하였습니다. 죄 없는 사람처럼 인정해 주셨습니다. 이것보다 좋은 소식이 어디 있습니까? 그러기에 예수님께서는 이 소식을 알리고 전하라고 하십니다.

전도는 우리 성도들의 책임이요, 의무입니다. 우리가 받은 사랑과 은혜를 생각하면 전하지 않을 수 없습니다. 주를 알지 못하고 아직도 죄와 죽음에서 시달리는 사람을 보면 그를 도와줄 마음이 일어납니다. 또한 전도는 주님이 명령하신 것이니 주를 따르는 사람으로서 마땅히 해야 할 일입니다.

전도부에서는 전도주일을 앞두고 우리 교우들이 전도할 수 있는 기회를 만들었습니다. 이번 토요일에 함께 나가 사람들에게 전도지와 설교 테이프를 전하며 주의 사랑을 나누고자 합니다. 그리고 그들을 주님 앞으로 인도하고자 합니다. 이 노방전도에 참여하지 못하시는 분은 각자가 있는 곳에서 주님의 복음을 전하는 기회를 가질 수 있기를 바랍니다. 하나님은 바로 여러분의 전도로 사람을 구원하시기를 기뻐하십니다.

>>> 수난주간과 자기 포기 <<<

교회력으로 이번 주간은 수난주간이라 하며 사순절의 절정입니다. 예수님께서 오늘 예루살렘에 입성하셔서 세상 죄를 지고 가는 하나님의 어린양으로서 우리의 모든 죄를 대신하여 십자가에 달려 이번 금요일에 돌아가신 것입니다. 성도들은 사순절을 통하여 주님의 고난에 동참하며 그와 동행하는 삶을 살도록 노력합니다. 수난주간에는 특별히 고난의 주님을 묵상하며 그와 가까이하려고 하는 것이 일반 성도들의 의무입니다. 수난주간을 맞이하여 성도들이 어떻게 생활해야 하는가를 소개하고자 합니다.

먼저 주님께서는 우리를 위하여 자기를 십자가에 버려주셨으니, 성도들은 주님을 위하여 자신들이 좋아하는 것을 하나라도 포기합니다. 좋아하는 오락이나 음식 같은 것을 포기합니다. 많은 사람들은 육식을 제한하고 채식이나 생선을 택합니다. 다음으로는 복음서에서 주님의 생애에 대해 읽고 명상하며 기도합니다. 예수님의 생애와 활동을 상상하며 그림을 그리듯이 바라보고 그와 가까이하며 그를 느끼고 그와 하나가 되는 것입니다. 주께 감사합니다. 그리고 금식하며 기도합니다. 금식은 우리가 좋아하는 것을 포기하는 가장 좋은 예입니다. 우리 몸의 건강과 힘을 위해 음식을 의지하지 않고 하나님의 도우심을 바란다는 겸손한 자세입니다. 그리고 음식을 준비하는 시간이나 먹는 시간에 주님 앞에서 말씀을 읽고 기도하는 것입니다. 더욱이 금식 중에 배고픈 것을 느낄 때에 나를 위해 고난 당하신 주님을 생각하는 것은 주님과 가까이하는 좋은 기회입니다. 금식은 우리를 기도에 집중하게 하고 믿음을 강화하는 데 큰 도움이 됩니다.

정상적으로 직장에 다니거나 사업을 하는 사람들은 점심에서 점심으로 이어지는 24시간 금식이 효과적입니다. 점심을 먹고 저녁과 아침을 금식하는 것입니다. 저녁 시간과 아침 시간에 주님과 가까이하며 기도하기에 좋은 시간을 가질 수 있으며 일상생활을 하는 데 거의 지장이 없기 때문입니다. 금식하고 기도하면서 주님과 가까이 하는 가운데 우리의 영성과 믿음이 발전합니다. 우리가 금식한 음식을 어려움을 당한 이웃에게 나눌 수 있다면 이는 주님의 사랑의 삶에 참여하는 것이 됩니다. 이를 통해 수난주간을 거친 후에 더욱 광명한 기쁨의 부활주일을 맞이할 수 있게 될 것입니다.

>>> 기독교의 특이성 <<<

오늘은 예수 그리스도께서 무덤에서 죽음을 이기고 부활하셔서 우리의 구주가 되시고 우리에게 영원한 새 생명을 주신 것을 기뻐하며 감사하는 주일입니다. 하나님이 주시는 풍성한 복이 여러분과 함께하기를 기원합니다. 예수님의 부활로 온 세계가 새로워진 이 아침에 우리 기독교가 다른 종교와 다른 점이 무엇인가를 잠깐 생각해 보려고 합니다.

첫째는 하나님께서 사람이 되신 성육신입니다. 대개 신은 인간과 구별되는 초월적인 존재로 하늘 높이 어느 곳에 있어서 인간의 삶과는 직접적인 관련이 없다고 생각됩니다. 그러나 기독교에서는 하나님이 사람의 몸을 입고 처녀에게서 태어나 이 죄악 세상에 오셔서 우리와 함께 사신다는 것입니다. 다른 종교에서는 사람이 신을 찾아가지만 기독교는 하나님이 우리를 찾아오셨습니다. 이것이 복음입니다. 예수님은 병들고 가난한 자, 눌리고 소외된 자를 찾아 그 가운데 함께 사시며 그들을 돕고 구원하는 일을 하셨습니다. 그는 인간의 몸을 입었지만 온전히 하나님으로서 능력을 행하시고 기적을 베풀었습니다.

둘째는 예수님께서 우리의 죄를 대신하여 십자가에 달려 돌아가셨다는 사실입니다. 보통 신은 사람에게서 숭상 받기를 좋아하며 자기의 마음에 따라 복이나 벌을 내릴 뿐 아니라 무한하다고 느껴지는 신의 특성상 그 신이 죽는다는 것은 상상하기 어려운 일입니다. 그러나 여호와 하나님은 우리의 허물과 죄를 따라 우리를 처치하지 않으시고 우리의 모든 죄의 형벌을 스스로 지시고 아들에게 지워 십자가에 돌아가게 하셨습니다. 그는 죄와 그 형벌인 죽음의 문제를 해결하셨습니다. 이제는 누구든지 그를 믿기만 하면 멸망하지 않고 영생을 얻습니다. 이는 사랑받을 만한 자격이 없는 우리를 그가 사랑하신 이유 한 가지 때문입니다.

셋째는 십자가에서 돌아가시고 무덤에 장사되신 예수님께서 죽음을 이기고 부활하신 것입니다. 그는 인류 최대의 원수를 정복하고 우리의 영원한 구주가 되셨습니다. 죽음은 더 이상 위협이나 두려움이 아닙니다. 우리에게는 죽음이 마지막이 아닙니다. 우리는 죽는다 해도 영광스런 새로운 몸으로 부활하여 영원토록 주와 함께 살게 됩니다. 주님은 승리자입니다. 그를 높이며 찬양합시다.

>>> 어떻게 기도할까 <<<

부활주일을 지나면서 우리는 예수님과 하나님께서 살아 계셔서 우리를 만나고 복 주신다는 사실을 더욱 확신하게 되었습니다. 하나님은 살아 계시기에 우리와 교제하기를 원하십니다. 유한한 인간이 무한한 하나님과 교제한다는 것은 하나님에게는 사랑의 기쁨이요, 우리에게는 영광스런 큰 축복입니다. 사람 사이에서와 마찬가지로 하나님과의 교제를 가지는 중요한 길은 만나고 대화하는 것입니다. 하나님께서는 성경을 통해 우리에게 말씀하십니다. 성경을 하나님의 말씀이라고 합니다. 성경을 읽고 들을 때에 우리는 하나님께서 우리에게 말씀하시는 것을 듣게 됩니다. 우리가 하나님께 말씀드리는 것은 기도를 통해서입니다. 기도는 우리가 하나님과 이야기할 수 있는 통로요, 특권입니다.

하나님께 어떻게 기도할 수 있습니까? 우리는 하나님의 자녀이기에 아이들이 부모에게 말하듯이 무엇이나 언제든지 기도할 수 있습니다. 그러나 아이들이 철이 들면서 부모를 이해하고 존중하며 말하듯이, 성도들은 믿음이 자라나면서 기도의 형태와 내용을 더욱 갖출 수가 있습니다. 먼저 우리가 기도하는 대상이 하나님이신 것을 분명히 해야 합니다. 예수님께서는 "하늘에 계신 우리 아버지여" 하고 기도를 시작하였습니다. 기도의 내용은 크게 다섯 가지로 생각할 수 있습니다. 먼저 하나님의 하나님되심을 찬양하고, 우리의 부족을 고백하고 나아가 하나님이 하신 일에 대하여 그에게 감사합니다. 그리고 다른 사람을 위하여 중보기도를 드리고 마지막으로 나 자신을 위해 간구하는 기도를 드립니다. 반드시 이런 순서로 하라는 것은 아니지만 대개 이런 순서로 기도하는 것이 바람직합니다.

마지막으로 예수님의 이름으로 기도합니다. 예수님의 이름으로 기도하면 하나님이 들으신다고 약속하셨습니다. 기도를 끝낼 때 어떤 사람은 "예수님의 이름으로 기도하였습니다" 또는 "기도합니다" 등으로 끝내는데 가장 좋은 것은 "예수님의 이름으로 기도하옵나이다"로 생각됩니다. 기도는 항상 현재형으로 드리는 것이 좋으며, 하나님은 경배를 받으실 천지의 주재이기에 우리의 겸손한 자세를 원하시기 때문입니다. 우리의 마음을 보시는 하나님이시지만, 우리가 사용하는 언어와 내용도 중요하므로 기도하실 때에 참고하시기를 바랍니다.

>>> 교회 지도자 양성 <<<

저는 지난 주간 3일 동안 버지니아의 리치몬드에 있는 저의 모교인 유니언 신학교에 다녀오는 좋은 시간을 가졌습니다. 학위를 위해 공부하는 것은 힘든 일이지만 저는 그곳에서 보낸 기간이 학생으로서 가장 즐겁고 보람있었습니다. 교수와 자유롭게 의사 소통을 할 수 있는 데다 그들은 친절하게 저를 인도하였으며, 교수와 학생들이 함께하는 기도모임이 있어 영성이 강화될 수 있었습니다. 또한 주말에는 약 80마일 밖의 샤롯츠빌에서 개척 교회를 시작하고 섬기는 기쁨이 있었던 데다 지역 주민들과 좋은 관계를 가질 수 있었기에 항상 아름다운 기억을 가지고 있습니다.

이번 방문은 두 가지 다른 회의에 참여하기 위한 것이었습니다. 유니언 신학교는 1812년 버지니아와 노스캐롤라이나의 목회자 양성을 위하여 시작하였지만 1892년에 졸업생들이 처음으로 한국에 나가 호남 지역을 중심하여 활발하게 선교하였습니다. 이제 한국에서 일하던 대부분의 미국 선교사는 미국으로 돌아왔지만 미국에 있는 한인 교회에 새롭게 기여하기 위하여 한인 2세 교회 지도자를 양성하는 길을 열기로 하고 모임을 가지게 되었습니다. 이는 한인 교회의 절실한 요구입니다. 한인 1세 목회자, 2세 목회자, 교단 총회 대표, 그리고 학교의 대표자들이 모여 한인 교회의 현재와 새 시대의 형편을 바라보며 미래가 촉망되는 유능한 사람들을 유치하여 책임있게 교육하고 훈련할 길을 의논하였습니다. 감사한 일입니다.

그 다음의 모임은 학장자문위원회 창립회의였습니다. 유니언 신학교는 작년 말 장로교기독교교육대학원(PSCE)과 합병을 하였습니다. 후자는 90년 전 총회에서 여성 교회지도자 양성기관으로 시작하였습니다. 당시의 신학교는 남자만을 위한 것이어서 교회의 실제적인 필요에 따라 이 학교를 세웠습니다. 이곳에서 여자 선교사와 교회 교육가를 많이 배출하였습니다. 이 두 학교를 합병하여 목회와 교육의 상관관계를 확립하였고, 국제화 시대에 부응하여 지구촌 전체의 교회 지도자 양성에 힘을 기울이는 것을 보았습니다.

우리 한미교회는 설립 34주년을 맞아 지금까지 인도하신 하나님께 감사하면서 다시 한 번 미국과 국제 사회에서의 우리의 위치를 점검하고, 나아가 21세기를 바라보고 준비하며 대응하는 교회가 되어야 할 것을 다짐합니다.

>>> 기업과 가정의 성공 비결 <<<

얼마 전 어느 교우의 세탁소를 심방하였습니다. 물건이 꽉 차 있는 데다 일하는 분들이 모두 활발하게 움직이며 일하고 있었습니다. 카운터 위에는 고객을 우선적으로 모시고 위한다는 사업 원칙이 붙어 있었고 진열대에는 옷감이나 옷의 색깔, 옷 관리법 등에 관한 여러 가지 안내서가 놓여 있었습니다. 일반 세탁소와는 무엇인가 다른 것을 볼 수 있었습니다. 세탁소에 대한 이야기를 들으면서 저는 놀라운 사실을 알았습니다. 그는 그 사업을 인수한 지 4년 만에 10배의 매상을 올리고, 이로 인하여 미국에서 대표적인 세탁업소로 인정되어 여러 지역에서 세미나를 인도하기도 하였다고 합니다.

그의 사업 성공의 비결 가운데 저에게 큰 인상을 준 것이 세 가지 있습니다. 첫째는 세탁인이 된 것에 대한 자부심을 가진다는 것입니다. 보통은 자기가 세탁업을 한다는 사실을 숨기려는 경우가 많은데, 자기를 자랑스럽게 생각하지 않으면 그 사업을 성공할 수가 없다는 것입니다. 성공하려면 자랑스러운 전문가가 되라는 것입니다. 둘째는 항상 감사하는 마음을 가진다는 것입니다. 물건이 많이 들어오면 일이 많고 돈이 벌리니 감사하고, 물건이 들어오지 않으면 쉬는 시간이 생기니 감사한다는 것입니다. 셋째는 사업의 기반이 잡혔다 해도 종업원에게 맡겨두지 않고 계속 고객들이 만족하도록 직접 봉사하는 마음을 가진다는 것입니다. 사업의 성공은 사람의 태도에 달린 것을 말하는 것입니다.

5월은 가정의 달입니다. 어떻게 하면 행복하고 성공하는 가정을 이룩할 수가 있습니까? 어떻게 하면 교회가 가정 같은 아름다운 공동체가 될 수 있습니까? 이 세탁소를 심방하고 나오면서 도움되는 답을 얻은 것 같습니다. 부모와 자녀의 관계, 부부 관계, 교회와의 관계는 하나님께서 맺어 주신 것입니다. 어느 가정의 자녀가 된 것, 누구의 부모가 된 것, 이 교회의 교인이 된 것을 자랑스럽고 감사하게 생각하는 것이 행복과 발전의 출발인 것 같습니다. 자기를 자랑스럽게 생각하지 않은 아들딸이 세상에서 인정받기란 참으로 어려운 것입니다. 자기 교회를 자랑스럽게 생각하고 감사할 때에 다른 사람도 부러워하며 우리 교회를 찾아올 것입니다.

우리의 행복을 위해 가정이 있습니다. 우리의 사랑과 구원을 위해 교회가 있습니다. 이를 누리는 것은 우리들의 태도에 달려 있습니다.

>>> 아이들이여, 잘 자라다오 <<<

지난 주일 어린이 주일에 일어났던 소중한 일 한 가지를 나누고 싶습니다. 어느 구역예배 모임에 저를 초청하였습니다. 보통은 구역예배를 인도하여 달라고 초청하지만 이번에는 달랐습니다. 구역에 어린 아이들이 많은데 이들을 축복하는 기도를 해 달라고 초청하였습니다. 이런 일은 저의 23년 목회에 처음 있는 일이었습니다. 물론 목사로서 저는 아이들만 아니라 어른들도, 가정도, 사업도 축복하며 살아 왔습니다. 심방을 하여도 축복하고 혼자 기도할 때도 축복합니다. 송구영신예배를 드린 후에는 가족별로 제단 앞에 나오게 하여 축복기도를 한 경우도 많이 있었습니다. 그런데 이번에는 구역에서 순전히 자녀들의 축복기도를 위하여 저를 초청한 것입니다. 구역장이 세심하게 준비한 것에 감사한 마음이 들었습니다. 저는 기도로 준비하게 되었습니다.

교회의 일과 회의를 끝내고 갔더니 세 구역이 함께 모여 있었습니다. 구역예배와 성경 공부가 막 끝나고 있었습니다. 식사 후 전체가 함께 모여 말씀을 읽고 찬송을 하는 동안에 저와 장로님들은 별실에서 가족별로 부모님이 자녀를 데리고 오면 그 자녀들을 위하여 기도하였습니다. 대부분의 아이들은 부모와 같이 무릎을 꿇고 앉았고 또 어린아이는 제가 품에 안고서 장로님들과 함께 안수하고 기도하였습니다. 자녀가 성숙하여 집을 떠나 있는 부모님들은 그들을 대신하여 기도를 받았습니다. 어떤 형제는 부모님은 오지 못했으나 스스로 기도를 받았습니다.

부모님들을 위해서도 기도하였습니다. 16가정의 46명을 위한 기도였습니다. 약 두 시간이 걸렸습니다. 목사로서 성도들을 위하여 기도하고 축복을 선포하며 기도하는 귀한 특권을 사용할 수 있는 복된 기회였습니다. 어느 면에서 주일은 길고 피곤한 날입니다. 그러나 새 힘이 솟아났습니다. 집으로 돌아왔지만 자정을 넘어서까지 잠을 잘 수가 없었습니다. 주님이 사랑하셔서 품에 안고 축복하시는 어린아이들, 그들과 부모의 얼굴을 그려 보며 하나님의 놀라운 은혜와 축복이 기도한 그대로 이루어지기를 계속 기도하였습니다. 이들만 아니라 온 교회의 교우들과 자녀들에게 같은 축복이 임하기를 기도하게 되었습니다.

>>> 아름다운 가정 가꾸기 <<<

신록이 무성한 5월이 되니 잔디와 나무들로 아름다워 주변 모두가 마치 공원 같습니다. 이것을 관리하는 데 시간과 돈을 많이 사용합니다. 관리하지 않고 버려두면 얼마가지 않아 잡초가 우거지고 볼품이 없어집니다. 사람의 마음이나 가정도 정원과 같습니다. 가꾸어야만 아름답게 유지됩니다.

며칠 전 신문에 "100년형은 황금인생에 종말"이라는 기사가 났습니다. 한인 2세 앤드류 서에 관한 것이었습니다. 그는 두 살 때 아버지의 큰 꿈을 따라 시카고의 좋은 지역인 에반스톤으로 이민을 와서 로욜라 아카데미에서 공부를 하였습니다. 그런데 그가 열한 살 때 아버지가 암으로 세상을 떠나고 열세 살 때는 어머니가 경영하던 세탁소에서 35군데나 칼에 찔려 죽임을 당하였습니다. 앤드류에게는 삶이 끝난 것 같았습니다. 누나 캐더린이 용의자였으나 친구 오두베인이 알리바이를 증명해 주어 혐의에서 벗어났습니다. 캐더린은 80만 달러를 유산으로 받아 마음대로 사용하였습니다. 부모 없는 두 십대의 삶은 바로 혼란 그 자체였습니다. 캐더린은 생명보험을 탐내어 동생을 시켜 오두베인을 살해함으로써 캐더린은 종신형, 앤드류는 100년형을 선고 받고 지금 복역중입니다. 좋은 학교에서 촉망받는 인물로 시작하였으나 부모의 죽음 때문에 가정에서 부모의 교훈을 받지 못하여, 가꾸어지지 않은 정원처럼 잡초가 생긴대로 뻗어 나가다가 일어난 현상이라고 보면서 마음 아프게 생각합니다.

가정은 부모와 자녀, 형제와 자매가 아름답고 행복하게 살고 즐기도록 하나님이 주신 정원입니다. 잘 가꾸어야 아름답게 됩니다. 부모가 없으면 자녀에게는 버려진 정원과 같습니다. 세상의 풍습을 따라 육체의 정욕대로 뻗어 나갑니다. 설령 부모가 있다고 해도 자녀들을 돌보지 않으면 사람이 살고 있지만 가꾸지 않고 버려둔 정원과 같이 됩니다.

자녀들은 저절로 자라는 것이 아닙니다. 가정은 저절로 행복해지는 것이 아닙니다. 먹고 입을 것만 있다고 아름다운 가정이 되는 것이 아닙니다. 삶의 길과 인생의 가치를 분명히 가르쳐야 합니다. 그러려면 부모에게 삶의 방향과 목적, 가치관이 확립되어 있어야 합니다. 사랑으로 이해하고 용납하며 마음을 주고 받을 수 있는 분위기가 필요합니다. 가정마다 온 가족이 즐기는 동산이 되기를 바랍니다.

>>> 연약한 자를 찾고 도우시는 예수님 <<<

지금 우리 교우들 가운데 몇 명이 병원에 입원하여 치료를 받으며 투병 중에 있습니다. 간단한 수술을 하고 쉽게 고칠 수 있는 질병도 있지만 때로는 의학적으로 치료가 쉽지 않은 병도 있습니다. 암, 알츠하이머, 중풍 등은 고치기가 어려워 우리를 낙담시키고 있습니다. 그래도 앞으로 50년 이내에 이런 병이 정복될 것이라는 희망을 가지고 있습니다. 한때 이런 병으로 고생을 했지만 지금은 회복되어 정상으로 살고 있는 분이 많이 있으니 희망을 가져도 될 것입니다.

지난 주간에는 과거에 암이나 다른 질병으로 수술을 받은 후 회복되어 건강하게 생활하는 몇 사람이 팀을 이루어 병원에서 투병 중인 분들을 방문하였습니다. 동병상련이란 말이 있듯이 같은 병을 경험하였기에 그 사정을 알아 사랑하고 위로하며 힘을 주기 위해서였습니다. 또한 건강하게 사는 모습을 보여 주며 치료의 가능성이 있음을 확인시키고 소망을 심어 주려는 뜻도 있었다고 봅니다.

누가 시켜서가 아니라 자발적으로 연락하고 모여서 병원을 찾아간 것입니다. 자신들의 체험을 나누며 성경을 읽고 기도하였더니 방문을 받은 환자도 매우 기뻐했고, 찾아간 사람들도 즐거워 했다고 합니다. 이들은 앞으로 다른 환자들도 방문하며 기도하고 격려하겠다고 합니다. 참으로 감사한 일입니다. 건강한 사람보다도 어려운 질병에서 치유된 사람이 환자에게는 더욱 힘이 될 것입니다.

예수님께서는 우리의 사정을 너무나 잘 아십니다. 그는 우리와 같이 몸을 입으시고 이 땅에 사시며 많은 고난과 어려움을 친히 경험하였습니다. 그는 목이 마르고 배가 고팠습니다. 그는 몹시 피곤하였습니다. 마귀에게 큰 시험을 당하였습니다. 친구에게 배반을 당하였습니다. 까닭 없는 고소를 당하고 십자가에 달려 죽어야만 했습니다. 그는 모든 일에 우리와 같이 시험을 당한 분이기에 우리 연약함을 불쌍히 여기시고 우리를 도우십니다.

그는 우리를 버려두지 않고 찾아오십니다. 어떤 형편에서나 우리의 사정을 그에게 아뢰고 그를 바라보면 그의 도움이 임함을 알게 됩니다. 그는 정말 우리의 친구요, 구주입니다. 연약한 자를 찾으시는 예수님의 방문과 사랑을 받고 새로운 생명을 경험할 수 있기를 바랍니다.

>>> 복되고 아름다운 가정 <<<

5, 6월에 결혼하는 젊은이가 많습니다. 참으로 기쁜 일입니다. 부모의 사랑과 관심 속에서 양육을 받고 때가 되면 배우자를 만나 결혼하는 것은 인생에 있어 출생 다음으로 중요한 일로 생각됩니다. 결혼은 서로 다른 두 사람이 각자의 생활을 하다가 한 몸을 이루는 것이기 때문에 조화를 위해서는 모험과 결단이 요구됩니다. 결혼이 추구하는 행복과 삶의 완성은 저절로 되는 것이 아니라 훈련과 인내로 이루어집니다.

저는 결혼할 사람을 미리 만나 준비시키는 시간을 가집니다. 결혼의 성경적인 의미를 통해 결혼생활에 필요한 것이 무엇인지를 살펴봅니다. 두 사람이 결혼을 한다고 바로 새사람이 되는 것은 아닙니다. 각자는 하나님의 형상대로 만들어진 독특함이 있기에 그대로 수용되고 존중되어야 합니다. 결혼의 바탕은 사랑과 신뢰입니다. 사랑에 근거하여 서로를 신뢰할 때에 자기를 상대방에게 맡길 수가 있습니다.

또한 결혼에서 서로에게 기대하는 바가 무엇인지를 살펴봅니다. 기대를 이루지 못하고 실망할 때도 있지만, 하나님은 꿈이 죽는 경험을 통하여 그가 기뻐하시는 인물을 만들기도 합니다. 성공적인 결혼생활을 위해서는 서로의 필요를 알고 채워 주어야 합니다. 남자와 여자의 필요가 매우 다릅니다. 의사 전달도 매우 중요합니다. 말의 내용보다 말씨, 말보다 태도가 큰 역할을 합니다.

이런 것을 준비하는 것만으로는 부족합니다. 하나님께서 가정의 중심에 계시고 성령님께서 함께하실 때에 행복하며 서로의 꿈이 실현되는 아름다운 가정을 이룰 수 있습니다. 준비 모임이나 주례를 통하여 저는 두 사람이 하나 되어 하나님이 예비하신 행복을 누리기를 간절히 바랍니다.

남편과 아내는 그리스도와 교회의 관계를 보여 줍니다. 아내는 교회가 그리스도에게 복종하듯 남편에게 복종하고, 남편은 그리스도가 교회를 위해 자신을 희생하듯 아내를 사랑할 때, 부부는 성경이 말하는 아름다운 가정을 이룹니다. 여러분 모두가 행복한 가정을 가지기를 기도합니다.

>>> 하나가 되는 원리 <<<

지난 주일부터 기온이 화씨 90도 이상 올라가 날씨가 무척 더워졌습니다. 이런 때 에어컨이 있다는 것은 참으로 다행한 일입니다. 이전에 에어컨이 없던 때는 더위가 오면 부채질을 하거나 창문을 열어 두고 견디는 것에 익숙했지만 이제는 얼른 창문을 닫고 에어컨을 켭니다. 저는 집안이 몹시 더운 것을 느끼고 금년에 처음으로 에이컨을 돌렸습니다. 바람이 나왔습니다. 그런데 한 시간, 두 시간이 지나가는데도 시원하지가 않습니다. 실내 온도가 화씨 90도 그대로 있었습니다. 무엇인가 잘못된 것을 알고 밖에 나가 보았더니 에어컨 실외기가 돌아가지 않고 있었습니다. 기술자에게 전화를 했더니 퓨즈 박스를 살펴보라고 했습니다. 그러나 문제가 없었습니다. 기술자가 와서 조사를 하더니 에어컨에 연결되어 있는 24볼트짜리 약선이 끊어졌다고 합니다. 무슨 말인지를 몰라 물었더니 에어컨에는 220볼트와 24볼트 두 종류의 전선이 있는데, 220볼트 전선에는 전기가 들어오지만 24볼트 전선에는 전기가 들어오지 않았습니다. 그 선은 천장으로 통하여 있어서 어디서 끊어졌는지 알 수 없기 때문에 전체 선을 대체해야 한다고 했습니다. 아직 선을 갈아넣지 못하고 있지만 하나님께서 매일 소나기를 보내 주셔서 더위를 이길 수 있는 것이 감사합니다.

에어컨을 돌리는 데 있어서 힘이 강한 220볼트면 충분할 텐데 24볼트가 왜 필요한가를 물었더니, 그것은 컴프레스 릴레이 역할을 하는 것으로 220볼트가 에어컨을 돌리도록 연결시키는 일을 한다고 했습니다. 220볼트가 힘이 좋고 충분하지만 24볼트가 없으면 자동으로 에어컨을 돌릴 수가 없다고 합니다. 저는 여기서 귀한 진리를 발견하였습니다. 강한 자만 있다고 일이 되는 것이 아닙니다. 일이 되는 데는 약자라고 생각되는 자의 도움도 필요한 것입니다.

모세는 위대한 인물입니다. 그러나 그보다 훨씬 약한 아론과 훌이 옆에서 도울 때에 모세는 큰일을 이루었습니다. 선교사는 큰 인물이요 후방 교회의 성도는 약한 것 같지만, 성도들의 기도가 있을 때에 선교사는 큰일을 할 수가 있습니다. 강한 자와 약한 자가 함께 살며 역사를 이루어 나갑니다. 우리는 모두 하나가 되어 함께 살도록 되어 있습니다.

>>> 희생에서 오는 축복 <<<

지난 주일 공동의회에서 교육관 증축 계획을 심의하고 결의하였습니다. 이제 건축헌금 작정하는 일로 부담을 느끼는 분이 계신 줄로 압니다. 본 교회 35년 역사에서 이미 여러 번 건축헌금을 하였습니다. 시세로의 성전 구입, 현 위치의 대지 구입과 성전 및 종합관 건립, 별관 대지 구입 등으로 여러 차례 건축헌금을 하였는데 또다시 헌금을 한다는 것이 부담이 되는 줄로 압니다.

그러나 부담이 된다는 것이 나쁜 것만은 아닙니다. 우리의 신앙에 도움이 되는 일입니다. 건강 증진을 위해 운동을 할 때 몸에 전혀 부담이 되지 않게 한다면 사실 크게 도움이 되지 않습니다. 사업을 하는 사람도 부담이 되지 않게 한다면 그 사업에 성공할 수가 없을 것입니다. 예수님께서는 죄와 죽음의 종이 되어 있는 우리에 대한 부담을 가지고 우리를 사랑하여 구하시려고 자신을 희생하여 주셨습니다. 사람들의 영혼을 향한 부담으로 선교도 하고 봉사도 합니다. 나 자신을 위해 시간, 건강, 돈을 쓸 만큼 다 쓰고 남는 것으로 수님을 섬기는 것이 아니라 내가 사용할 것을 덜 사용하고 절약하여 섬기는 것이 희생입니다. 그리고 이것을 주께서 기쁘게 받으십니다. 이 희생은 바로 하나님께 드리는 제물입니다.

　하나님께서는 억지로 드리는 제물을 기뻐하지 않습니다. 지나친 부담은 오히려 넘어지게 합니다. 감당할 수 있어야 기쁨이 되고 유익합니다. 올바른 부담을 가지고 희생하는 마음으로 헌금을 작정할 때에 하나님이 기뻐하실 것입니다. 목사나 사람에게 보이기 위해서 하지 않기를 바랍니다. 저는 누가 얼마나 헌금하였는지를 보지 않습니다. 오직 하나님이 주신 은혜를 따라 힘이 미치는 대로 모두가 참여할 수 있기를 바라고 기도합니다. 그동안 건축헌금을 하신 분들 중에 넘어진 사람 없이 오늘 같은 홀륭한 시설을 남겨 하나님께 영광을 돌렸습니다. 저는 우리 온 교우들이 교회 사명을 위하여 이번 건축도 잘 진행할 수 있음을 믿습니다. 그리고 이를 통하여 오는 하나님의 확실한 축복도 내다봅니다.

>>> 한국전쟁을 통해 일하신 하나님 <<<

지난 6월 25일은 6·25 한국전쟁 49주년이 되는 날입니다. 한국전쟁은 100만 명 이상의 사상자가 생기고 500만 명 이상이 고향과 가족을 잃은 우리 민족 역사에서 가장 비참한 비극이었습니다. 제 아내의 가족도 삶의 근거를 잃고 가족이 흩어지는 어려움을 경험하였습니다. 믿음을 지킨 순교자의 피로 물들었던 깅도가 어찌하여 동족실상의 피로 물들도록 하나님이 버려두셨을까요?

역사를 주관하는 하나님께서 왜 이 전쟁을 허락하셨는지를 생각해 봅니다. 요셉이 형들에 의해 종으로 팔린 것은 인륜에 어긋나는 악한 일이었으나 지나고 보니 하나님은 이를 통하여 선한 일을 이루셨습니다. 하나님은 모든 일을 합력하여 선을 이루게 하십니다.

한국전쟁은 살상과 증오로 공산주의의 잔학함을 분명히 보여주었기에 월남한 사람뿐만 아니라 이남의 모든 사람이 민주주의를 선호하고 지켜나감으로써 한국은 아시아에서 민주주의의 보루가 되었습니다. 좁은 땅이지만 지역간의 내왕이 부족하고 지역 편견이 많았는데 한국전쟁으로 인한 피난으로 많은 사람이 서로 섞이게 되었고 국민 전체가 새롭게 융화되는 길이 열렸습니다.

은둔의 나라 한국에 유엔 16개국 병사가 파병되면서 한국은 세계에 알려지고 관심의 대상이 되었습니다. 동시에 많은 고아들이 요셉, 룻과 같이 미국으로 오게 되고 유학과 이민의 길이 뒤따라 일어나면서 외국인을 향한 편견이 벗겨지고 세계인으로 함께 사는 길이 열리게 되었습니다. 폐허된 국토를 재건하며 한강의 기적을 일으킴으로써 강인한 민족의 자부심을 가지게 됐습니다.

무엇보다 한국전쟁은 한국을 복음의 나라로 만드는 역할을 하였습니다. 해방 전 기독교인의 대부분은 이북 특히 평안도 지방에 있어 남한에는 기독교인이 많지 않았습니다. 맨손으로 남하한 대부분의 기독교인이 살기 위하여 시장을 개척하고 돌로 예배당과 주택을 건축하며 부유하게 사는 것을 보자 남쪽 사람들은 이들 뒤에 있는 하나님을 보고 너도나도 복음을 받아들이게 되었습니다.

비극은 비극으로만 끝나는 것이 아닙니다. 역경 가운데서도 선을 위해 일하시는 하나님의 손길을 바라봅시다.

>>> 참된 안식 <<<

오늘 미국의 독립기념일이 주일이기에 월요일을 국경일 휴일로 지키며 연휴를 가지게 됩니다. 해질 날이 없다고 하며 전성기를 누리던 영국에서 독립하여 새로운 나라를 시작한다는 것은 큰 모험이요, 생사가 걸린 일이었습니다. 그러나 이 나라의 건국자들은 그 일을 잘 수행하여 세계에서 가장 민주적인 나라를 만들었습니다. 이는 자랑스러운 일이며 감사한 일입니다. 세월이 지나가면서 일반적인 사람들에게는 독립과 건국정신보다는 휴일을 맞아 하루 쉰다는 것이 의미 있는 일처럼 생각됩니다.

밤낮없이 열심히 일하는 우리 이민자들에게 모처럼의 연휴는 참으로 기다려지는 것입니다. 멀리 여행을 가지 않는다 하더라도 밀린 잠을 잔다거나 그동안 하지 못했던 집안일을 하는 것도 소중한 일입니다. 예수님과 그 제자들도 쉴 틈이 없었습니다. 그들이 분주하게 일하며 많은 사람을 위해 봉사하느라고 식사할 틈도 없자 예수님께서는 그들에게 "너희는 따로 한적한 곳에 와서 잠깐 쉬어라"고 하셨습니다(막 6:31). 사람은 휴식과 여가가 필요하도록 창조되었습니다. 몸만이 아니라 정신도 쉬는 것이 필요합니다. 일상생활에 밀리거나 눌리지 않고 마음에 여유를 가지는 것이 휴식입니다. 몸이 쉴 때 마음도 함께 쉬어야 참된 휴식이 됩니다.

바른 휴식을 가질 수 있는 길이 무엇일까요? 일상적으로 하던 일과 다른 일을 하는 것도 기분을 전환시키며 몸과 마음을 가볍게 할 수 있습니다. 어려움을 겪는 어린아이에게 어머니의 품은 제일 큰 안식입니다. 가정은 안식처입니다. 예수님에게는 아버지 하나님과 단둘이 마주 앉는 것이 안식이요, 힘이었습니다. 내게 주시는 하나님의 말씀을 받으며 내 속에 있는 사정을 하나님께 말씀드리고 기도하는 친밀한 시간은 참으로 우리를 새롭게 하는 힘을 줍니다. 이 세상은 소란하고 쉴 틈이 없지만 영원히 주님과 함께 살 천국에서는 참된 안식을 가질 수 있습니다. 그날을 내다보며 오늘에 충실하고 또한 주님과 사랑을 나누며 영혼과 육신에 안식을 가질 수 있기를 바랍니다.

>>> 직분자 선출 <<<

지난 주일 공천위원회에서는 내년 시무 시작 직분자 선출 과정과 직분자 추천 용지를 온 교우에게 나누어 드렸습니다. 모든 교우들이 본 교회에 필요한 직분자를 알고 그 선출 과정에 참여하기를 바라고 있습니다. 장로교회는 교회 운영과 직분자 선출을 민주적인 방식으로 합니다. 직분자를 선출하기 전에 먼저 공천위원회를 조직합니다. 당회원, 집사, 권사를 내표하는 사람들로 공천위원을 삼기도 하지만, 연령별로 교우들을 대표할 분을 추천받고 공동의회에서 결의하여 그들로 공천위원회를 구성합니다. 공천위원은 모든 교우를 대표하는 분들입니다. 한국에서는 공천위원을 두지 않고 직접 공동의회에서 직분자를 뽑기도 하는데, 큰 교회에서는 누가 누구인지를 모르는 경우가 많은데다 한두 번 투표에서 필요한 인원을 선출하지 못하는 어려움이 있기에, 미국 장로교에서는 공천위원 제도를 두어 그들이 교우들의 신앙 형편과 사정을 알아 회중 앞에 공천하면 회중이 최종 결정을 하게 됩니다. 이에 직분 선출 절차에 대해 말씀을 드리겠습니다.

공천위원이 기도하며 자격 기준에 따라 인선 작업을 합니다만 인선 과정에서도 교우들이 참여할 수 있는 기회를 드리기 위하여 지난 주일 교우들에게 추천 용지를 나누어 드렸습니다. 여러분께서 자격이 있다고 생각하는 사람을 추천하고 그 근거를 기록하여 7월 18일까지 제출하면 공천위원은 그것을 인선하는데 참고할 것입니다. 목회자인 저는 인선에 전혀 영향을 미치지 않습니다. 교우들의 참여와 협력을 부탁코자 합니다.

공천위원의 인선 작업이 끝나면 당회에 보고하여 인준을 받은 후 금년에는 9월 12일 공동의회에 공천하여 투표로 결정하기 전 회중에게 한 번 더 추천의 기회를 드립니다. 일반회의의 결정은 다수결이지만 인사 결정은 과반수로 합니다. 전 교우들이 참여함을 원칙으로 하면서도 신중하게 하는 것이 바로 민주주의의 방식입니다. 공천위원회가 은혜롭게 일을 하여 하나님이 기뻐하시고 교회에 유익한 직분자들이 선출되기를 기도합니다.

>>> 21세기를 향한 예배 갱신 <<<

지난 7월 6일에서 9일까지 3박4일 동안 본 교단 한인 교회 전국협의회 연차대회가 로스앤젤레스에서 열렸는데, 전국에서 목회자 부부, 남녀선교회 대표 등 300여 명이 모여 '21세기를 향한 예배 갱신'이라는 주제로 진지하고 은혜로운 모임을 가졌습니다. 미국에서 예배학 분야의 학위를 받고 포항북부교회에서 목회하는 계지영 목사가 새벽기도회와 오전의 주제 강의를 인도했습니다. 그리고 현재 미국 2세 목회와 1세 목회를 겸하여 워싱턴 뉴 카비넌트 펠로우쉽교회를 담임하는 김원기 목사가 오후 저녁 집회를 인도했습니다. 그 외에도 여러 토의 그룹이 있어 쉴 틈이 없이 진행된 모임이었으나 참으로 은혜롭고 유익한 시간을 보냈습니다.

목회자가 이런 모임에서 말씀을 통하여 은혜와 도전을 받는 것은 좋은 일입니다. 아울러 전국에서 모인 동역자들을 만나 서로 격려하고 목회 정보를 나누는 것도 좋은 일이었으며, 며칠 동안이지만 사역지를 떠나 몸과 마음에 휴식을 가지는 것도 유익했습니다.

예배는 하나님의 창조함을 받은 인간이 해야 할 첫째 일이요, 교회의 사명 가운데 제일 먼저 해야 할 일입니다. 하나님은 거룩하고 크신 분이요, 창조주요, 동시에 우리를 죄와 죽음에서 구원하신 분이기에 그는 영원히 찬양과 예배를 받으시기에 합당하십니다. 하나님을 예배함에 있어 전통적인 예배 형태를 취할 것인가 또는 경배와 찬양을 주로 하는 대중적인 예배(열린 예배)를 할 것인가 또는 이 둘을 서로 혼합할 것인가 하는 것으로 오늘날 많은 논란이 있기도 합니다. 그런데 전통적인 예배 형태를 고집하는 교회는 대개가 쇠퇴하고 있는데 반해 생동하는 힘을 가지고 성장하는 교회들은 새로운 예배의 형태를 취하고 있습니다.

그러나 무엇보다 중요한 것은 예배 형태가 아니라 그 예배에서 성령이 역사하고 사람들이 하나님의 임재하심을 경험함으로써 삶의 변화가 일어나는 것입니다. 우리 교회의 예배에서 바로 이런 일이 일어나기를 기도하며 바라고 있습니다.

잃어버린 영혼을 찾으시는 하나님

미국인의 존경을 받으며 아직도 가슴에 살아 있는 고 케네디 대통령의 아들 케네디 2세가 지난 7월 16일 개인 비행기로 뉴저지에서 고향 매사추세츠로 가다가 실종되었습니다. 바다에 추락된 것으로 판단하고 해안경비대는 인력과 첨단장비를 동원하여 5일 동안 수색 작업을 벌였습니다. 결국 비행기 동체와 시신을 모두 발견, 인양하여 이미 장례를 치렀습니다. 신문, 방송 등 모든 미디어가 이 사건을 깊이 있게 다루었습니다. 미국인뿐만 아니라 많은 세계인이 케네디 가정에 관심을 가지고 있는 것이 드러났습니다.

한편에서는 해안경비대의 수색 작업에 대하여 비판이 일어났습니다. 해안경비대장에게 질문을 하였습니다. '왜 그렇게 많은 국가의 장비와 인력을 투입하는가? 케네디가 아닌 일반 평민이라도 그렇게 하겠는가?' 이에 대해 클린턴 대통령은 케네디 가문이 국가에 끼친 공헌을 생각하면 그 수색 작업은 정당한 것으로 보지만, 만일 잘못된 것이라면 그것은 해안경비대장이 잘못한 것이 아니라 바로 대통령 자신의 잘못이라고 하며 수색 작업을 옹호하였습니다. 클린턴 대통령은 물자와 시간이 얼마가 필요하든지 수색 작업을 진행했을 것입니다.

각 사람에게는 찾게 되는 사람, 잊혀지는 사람이 있습니다. 그러나 하나님에게는 우리 각자가 케네디 이상으로 존귀한 사람입니다. 사실 우리는 모두 잃어버렸던 사람들이었습니다. 하나님을 멀리 떠나 죄와 어둠에서 방황하고 있었습니다. 하나님은 찾으시는 분으로서 우리를 찾기 위하여 선지자를 보내셨습니다. 잃은 양, 잃은 은돈, 잃은 아들을 찾으십니다. 결국 하나님은 사람의 몸을 입고 이 땅에 오셔서 우리를 찾기 위하여 십자가에서 희생하셨습니다. 우리는 찾아진 사람입니다. 장례식을 위해서가 아니라 영원한 생명을 누리며 하나님과 교제하기 위함입니다. 아직 넓은 인생의 바다에 잃어버려진 영혼들이 많기에 하나님은 그들을 찾는 일을 지금도 계속하시며 이 일에 참여하라고 우리를 부르십니다. 이제 이 일에 기쁨으로 응하지 않으시겠습니까?

>>> 세계를 품는 세계인 <<<

'캠프 프라이드 99' 가 지난 주간 성황리에 진행되었습니다. 150명의 학생들과 이들을 입양한 100가정의 부모들, 많은 자원 교사들이 참여하였습니다. 한국말과 글을 배우고 한국 역사와 문화, 태권도, 부채춤을 가르친 지난주는 완전히 한국 주간이었습니다. 캠프 프라이드는 우리 교회에서 8년 동안 해마다 모이면서 자유롭게 시설을 사용하고 있습니다.

캠프 프라이드는 미네소타에서 시작되었다고 합니다. 한국에서 출생한 어린아이들을 입양한 미국 부모들이 그들을 이해하며 잘 양육하기 위하여 서로 협력할 필요를 느꼈고, 또 그 자녀들에게 그들의 뿌리가 무엇이며 모국의 문화가 어떠한 것인지를 일찍부터 알리기 위한 것이었습니다. 이 부모들의 대부분은 자기들이 낳은 자녀가 있지만 부모 없는 불우한 아이들의 형편을 생각하여 그들을 맡아 자기 자녀와 똑같이 기르고 있습니다. 이것은 참으로 놀라운 사랑입니다. 미국에 왔으니 미국만 알라는 것이 아니라 그들이 태어난 한국과 그 문화도 알아 세계인으로 자라나게 하자는 것입니다.

아이들은 사랑으로 잘 양육받고 있지만 그래도 그들에게는 아픔과 상처가 많습니다. 그러다가 이런 캠프를 통하여 자기와 같은 형편에 있는 많은 사람을 보고 힘을 얻으며 한인교회가 활동하고 있는 것에 자부심도 가지는 것을 봅니다. 아울러 부모들도 한국과 한국 문화, 한국인을 뜨겁게 사랑하게 되는 것을 봅니다. 입양은 인종의 장벽을 넘는 좋은 길입니다. 우리가 할 일을 이들이 하고 있는 것에 감사하며 교회가 시설을 제공하게 된 것이 축복이라고 생각합니다.

세계의 여러 인종이 함께 사는 미국에서 우리와 우리 자녀가 세계를 품는 세계인이 되기를 바랍니다. 세계인은 세계를 알며 다른 사람을 받아들이고 함께 삽니다. 한국인들은 다른 사람에게 관심을 갖지 않고 홀로 살아가는 것을 좋아한다는 평을 듣습니다. 우리는 누구와도 더불어 함께 살 수 있는 지혜를 배워야 하겠습니다. 교회에는 서로 다른 사람이 모여 있습니다. 서로 사랑하고 용납하며 관심을 가지고 약한 자를 돌보고 품을 때, 교회는 아름다운 공동체가 될 수 있습니다.

>>> 식욕과 믿음 <<<

대개의 경우 병이 나면 식욕을 잃었다가 병이 나아 회복단계에 들어가면 식욕이 돌아옵니다. 건강한 사람도 음식을 먹지 않으면 얼마가지 않아 몸이 약해지고, 약하던 사람이라도 음식을 잘 먹으면 건강하게 됩니다.

최근 한국이나 일본에서 사람들의 신장이나 체중이 과거보다는 월등하게 늘어난 것을 봅니다. 음식이 좋아진 결과입니다. 자녀들을 보면 같은 부모에게서 태어났다 하더라도 음식을 어떻게 먹느냐에 따라 건강과 발육의 정도가 달라집니다. 건강한 아이들은 식욕이 왕성하여 끼니가 멀다 하고 먹을 것을 찾지만, 병약한 아이들은 끼니를 기다리지도 않고 먹는 것을 오히려 싫어합니다.

사람만이 아니라 모든 생명이 그러합니다. 과거에 누에 치는 것을 본 적이 있습니다. 누에는 뽕잎을 먹고 자랍니다. 뽕잎을 누에에게 주면 갉아먹는 소리가 요란하게 들릴 정도로 누에는 열심히 먹습니다. 그러는 사이에 누에가 자라나 고치를 만들고, 얼마 지난 후 그 고치를 뚫고 아름다운 나비가 되어 나옵니다. 그러나 잘 먹지 않은 누에는 자라지 못하고 고치를 만들지도 못하고 뒤지는 것을 보았습니다.

믿음이 자라는 것도 마찬가지입니다. 하나님의 말씀은 영의 양식이기에 하나님께서는 그 말씀을 먹으라고 하십니다. 우리 모두에게 하나님의 말씀이 주어졌지만 그것을 받아먹고 자라나는 것은 우리의 식욕에 달렸습니다. 교회 생활을 오래 하였다고 해도 말씀을 달게 먹지 못한 사람은 믿음과 영성이 자라지 못합니다. 그러나 열심히 말씀을 받아먹는 사람은 자기도 모르는 사이에 믿음이 많이 자라는 것을 발견합니다.

건강한 사람이 식욕이 왕성하여 다음 끼니를 기다리지 못하고 음식을 찾는 것처럼 영적으로 건강한 사람도 계속 말씀을 사모하고 찾습니다. 주일에서 주일로 연결되는 신앙생활은 일주일에 밥 한 끼를 먹는 것과 같습니다. 저는 여러분이 주중에도 열심히 말씀을 찾고 먹고 공부함으로써 믿음이 자라나, 누에가 나비가 되어 하늘을 나는 기쁨을 맛보게 되기를 바랍니다.

>>> 인생의 목적 <<<

지금 우리 교회 바로 이웃에 있는 메다이나 골프장에서는 제 81회 PGA 골프경기가 진행되고 있습니다. 이 골프장은 1920년대 독일 건축가 슈미드 씨가 비잔틴, 이태리, 프랑스, 동양식을 배합하여 설계한 세계 최상급의 골프장입니다. 그동안 세계적인 경기를 네 번 열었고, 1996년에 1천만 달러를 들여 확장 수리하여 이번에 큰 대회를 열었습니다. 이 대회에는 전 세계에서 온 특별 프로선수 150명이 지난 목요일부터 오늘까지 4일간 명예와 상패, 1등 54만 달러의 상금을 향해 각자 기량을 발휘하고 있습니다.

저는 골프에는 문외한입니다만 이번 기회를 통해 골프에 대한 상식을 얻으려고 했습니다. 경기자는 18홀 7401야드의 코스를 따라 한 경기에 72번 정도 공을 치고 공을 각 홀의 컵에 넣어야 합니다. 경기자는 오직 목적지의 컵에 정신을 집중하여 작은 공을 보냅니다. 다른 생각을 하면 공을 제대로 칠 수가 없습니다. 공이 컵 가까이 가는 것만 가지고는 되지 않으며 공이 컵에 들어가야 합니다. 그것을 잘하는 사람이 명예와 상금을 얻습니다.

무슨 경기나 마찬가지이겠지만 특히 골프 경기를 보면서 인생을 생각합니다. 골프 경기자가 그린의 홀을 생각하고 마음을 집중하는 것처럼 우리 인간은 과연 생의 목적에 그렇게 관심을 가지고 달려가는가 하는 것입니다. 인생의 목적이 무엇입니까? 사람마다 다른 목적을 가질 수도 있겠습니다만 인간을 창조하신 하나님의 뜻은 사람이 하나님과 교제하며 그를 인정하고 예배하며 그를 사랑하고 기쁘게 하는 것입니다. 자기를 만든 분의 목적을 도외시하고 자기 마음대로 목적을 정하는 것은 바른 일이 아닙니다.

스스로 골프 경기를 즐기고 선전을 하였다 해도 정해진 기준에 부합하지 못하면 상이나 칭찬이 없습니다. 사람이 스스로 최선을 다한다 하여도 인생의 목적을 모르거나 그것을 놓치는 경우가 많은데 이것을 죄라고 합니다. 우리의 삶을 목적과 관련하여 살피고 그 목적에 우리의 삶을 맞추어 나가서 마지막에 하나님의 칭찬과 상을 받을 수 있기를 바랍니다.

>>> 육체 구원보다 소중한 영혼 구원 <<<

지난 8월 17일 새벽 3시 모두가 평화롭게 잠자고 있는 그 시간 터키 서부에서 지진이 일어나 금요일 현재 통계로는 1만 명 이상이 죽고 3만5천 명이 실종되었으며 4만5천 명이 부상을 입었습니다. 놀라운 비극입니다. 미국과 러시아 등 우방 국가들이 구호대원과 물자를 보내고, 터키 정부에서는 3만5천 명의 군대를 동원하여 무너진 건물에 매몰되어 있는 생명들을 구하기 위하여 구호작업을 하고 있습니다. 흙무더기 속에서 사람이 살아 나오는 것을 보면서 한 사람이라도 더 구호하기 위하여 모든 노력을 다하고 있습니다.

지난 주말 힌스데일에 거주하는 해리 불은 어린 두 딸과 함께 미시간 호수에서 배를 타다가 실종되었습니다. 빈 배만 발견된 후에 해안경비대가 동원되어 수색 작업을 벌여 두 사람의 시체를 찾았습니다. 다시 그중 찾지 못한 실종된 다섯 살 난 꼬마를 찾다가 4, 5일이 지난 후에는 생존 가능성이 없다고 판단하고 수색을 중단하였습니다. 주변에 이런 사고가 자주 일어나고 있습니다. 그때마다 생존자를 구하는 일에 최선을 다하는 것을 봅니다.

그 이유는 사람의 생명이 너무나 존귀하기 때문입니다. 예수님께서는 한 사람의 생명이 온 천하보다 귀하다고 하십니다. 사람은 하나님의 형상을 닮았기에 하나님만큼이나 귀하므로, 가능한 모든 것을 동원하여 잿더미 속에서라도 사람을 구해 내는 것을 보며 자주 가슴이 뭉클해집니다. 사람을 구하는 것은 당연한 일이라고 생각합니다.

이처럼 사람들은 백 년도 못 사는 육체의 생명에 많은 관심을 가집니다. 그러나 영원한 가치가 있는 생명의 원천인 영혼에 더욱 주의를 기울여야 하지 않겠습니까? 육체는 살아 있다고 하지만 생명의 예수 그리스도를 알지 못하고 믿지 않으면 그 영혼이 죽었다는 사실을 아십니까? 흙더미 속에서 죽어가는 사람을 건져 낼 마음이 있다면 육체 속에 죽어 있는 영혼을 구원할 마음이 일어나는 것은 더 당연하지 않겠습니까? 죽어 가는 사람을 찾아 구원하는 일에 힘씁시다. 그렇지 않으면 그 생명의 책임이 우리에게 있습니다.

>>> **만남과 헤어짐** <<<

새학년이 시작되어 자녀들이 학교에 갑니다. 고등학교를 졸업하고 멀리 대학에 가는 자녀들은 처음으로 집을 떠납니다. 부모가 생각할 때는 품을 떠나는 것 같아 눈물을 흘리기도 하지만 자녀들은 자신들의 앞에 열린 새로운 기회와 자유의 세계에 감동하는 것 같습니다. 어머니의 뱃속에 있을 때는 우리 모두가 어머니와 하나였습니다. 세상에 태어나며 울음을 터뜨린 것은 어머니와 분리되는 아픔이었다고 생각됩니다.

오리는 태어나면서 제일 먼저 보는 것을 어미로 따른다고 합니다. 아이가 태어나 세상에서 눈을 뜨며 제일 먼저 만나는 사람은 바로 어머니입니다. 그리고 어머니를 따르고 닮아가며 사랑과 기쁨의 아름다운 관계를 맺습니다. 생명을 만나고 기른 즐거움이 얼마나 크고 귀합니까? 자녀들은 어머니의 무릎에서 자라나지만 나이가 들고 학교에 가면서 점점 생활이나 생각이 부모와는 다른 방향으로 발전하더니 결국 대학에 가면서 집을 떠나게 됩니다. 그러나 진정 떠난 것이 아닙니다. 만남이 있으면 헤어짐이 있으며, 헤어지면 노나시 만날 날을 기나립니다.

만날 때의 첫인상이 관계 형성에 중요한 영향을 미치지만 어떻게 헤어지는가도 매우 중요합니다. 떠나면 바로 보고 싶은 사람이 있지만 때로는 만나고 싶지 않은 사람도 있습니다. 혈기가 있거나 사납고 거친 얼굴로 다투거나 다시는 만나고 싶지 않은 모습으로 헤어진 후에 관계 회복의 기회를 가지지 못한다면 하나님 앞에서 부끄러운 일입니다. 우리 모두가 아름답고 좋은 관계를 가지기를 원합니다.

우리 교회에서 사역하시던 김지숙 전도사님이 사임합니다. 전도사라기보다는 우리와 한가족이었습니다. 20년 이상 본 교회에서 자라고 성숙하며 10년 동안 유초등부 전도사로 사역하였습니다. 많은 사람을 만나고 그리스도의 사랑을 나누고 양육하였습니다. 선지자가 고향을 떠나야 더욱 큰일을 할 수 있다기에 본인의 소원을 따라 보내드리지만 영영 떠나는 것은 아닙니다. 기쁨으로 언젠가 만날 것을 기대합니다. 겸손하게 섬기신 것에 진정 감사합니다.

>>> 서로 사랑하고 돌보는 교회 <<<

시카고 서부 근교 사우스 배링턴에 있는 세계적인 교회인 윌로우크릭 교회는 주일 회집 인원이 2만 명이지만 등록 교인은 6천 명이라고 합니다. 1만4천 명은 초신자 또는 방문자 형식으로 예배에 참석하는 자들입니다. 이 교회는 등록 교인과 정규 출석자를 구분합니다. 등록 교인은 몸과 재능, 물질로 헌신하는 자들로서 다른 사람들을 돕고 심겨 믿음이 성장하게 되고 나아가 같이 사역하는 것입니다. 한인 교회도 마찬가지입니다. 헌신적으로 교회의 사명에 참여하는 교인이 있지만 동시에 초신자 또는 정규 출석자로서 헌신하는 단계에 이르지 못한 자들도 있습니다.

최근 저는 마음의 아픔을 경험하였습니다. 지칠 줄 모르게 열심히 일하던 한 헌신자가 '왜 그렇게 열심히 하나? 이름 내려고 하나? 장로가 되려고 하나?' 등의 비판적인 말을 들으면서 견디지 못하는 상처를 받았습니다. 하나님께서 상 주실 것을 내다보고 참았더라면 좋았을 것입니다.

타 교회에서 직분을 받고 본 교회에 와서 정규 출석자로 지낸 지 오래된 분이 있습니다. 하나님께서 '너는 무엇을 하였는가'라고 묻는다면 할 말이 없을 것이라고 하며 사명을 따라 다른 데서 섬길 곳을 찾았다고 합니다. 서울의 어느 교회에서는 장로로 6년을 시무하면 그곳에서의 사명이 끝이 났다고 하여 다른 곳에 보내어 사역을 하게 한다는데, 그 경우와는 너무나 달라 또한 가슴이 아팠습니다.

본 교회에서는 타 교회에서 직분을 받은 자들에게 중경이라는 칭호를 드리며 섬길 수 있는 기회를 제공하고 있습니다. 마음만 있으면 얼마든지 사역할 수 있습니다. 열심히 일하다가 지칠 때가 되면 휴무 제도가 있어 새 힘을 얻어 다시 시작할 수 있습니다. 이런 제도보다 더욱 중요한 것은 우리가 모두 주 안에서 한 형제자매이며 주의 사랑에 빚진 자라는 사실에 근거하여 서로 격려하고 섬기는 것입니다. 서로 사랑하고 돌보는 교회는 하나님도 사람도 모두 기뻐할 것입니다.

>>> 연합수련회를 마치고 <<<

지난 8월에 2박 3일 동안 여선교회 연합수련회가 "그리스도의 마음을 가지자"는 주제로 열렸습니다. 그리고 지난 9월 5일에서 7일까지는 "능력 있는 하나님의 사람"이라는 주제로 남선교회 연합수련회가 있었습니다. 전도성장위원회가 주관하여 회장단이 기도회를 하면서 준비를 잘 하였습니다. 주일 오후부터 화요일까지 진행되는 일정이라 많은 사람이 참석하는 것은 쉬운 일이 아니었지만 25명에서 30명의 적당한 인원이 함께 하였습니다.

한 달에 12회씩 말씀을 증거해야 하는 저는 두 번의 집회를 인도하도록 준비하는 것이 힘에 벅찼지만 그래도 한두 명이라도 삶에 새로운 변화가 일어날 것을 기대하는 것은 감격스러운 일이었습니다. 주제에 따라 말씀을 증거한 후에 테이블에서는 들은 말씀을 실생활에 맞추어 토의하고 그 결과를 발표하면서 그것을 각자 자기 것으로 만들었습니다. 쉬는 시간이 거의 없이 진행되었지만 참석자들은 피곤한 줄도 모르고 열심히 듣고 토의하고 기도하였습니다. 성찬식과 세족식도 있었고 전체 순서를 통하여 은혜로운 찬양이 계속되었습니다. 참석 소감과 간증 시간이 있었는데 '주제에 감사합니다, 나를 낮추며 섬김을 통하여 하나님께 영광을 돌리겠습니다, 앞으로 남은 삶을 주님 없이는 못 살겠습니다, 남의 결점을 받아 주고 사랑하겠습니다, 하나님의 도움으로 존경받는 신앙 인격자가 되겠습니다, 좌절 속에 함께하시고 실패자를 찾아 쓰시는 하나님께 감사드립니다, 예수님의 제자는 12명이었는데 20여 명이 은혜 받고 내려오니 큰 소망을 갖게 되었습니다, 소극적인 사람이 하나님의 능력을 입은 힘 있는 사람이 된 것에 감사합니다' 등의 고백이 이어졌습니다.

　말씀을 증거한 저는 시간마다 성령께서 역사하심을 경험하며 하나님께 영광을 돌립니다. 집에 돌아와서 어떤 분은 '주님의 크신 사랑으로 채움 받아 다시 힘써 봉사할 수 있게 되어 기쁘며 주의 사랑을 베푸는 자가 되겠다'고 편지를 써서 보내 왔습니다. 힘든 것은 사라지고 제 자신이 은혜로 새로워진 것을 느끼며 모든 영광과 감사를 하나님께 드립니다.

>>> 교회에서 얻는 이웃 <<<

지난 주일부터 신입 교우를 위한 입문교실이 시작되었는데 5월 이후 등록한 분 중에 24명이 참석하였습니다. 사랑과 진심으로 이들을 환영하며, 우리 모두가 새롭게 한가족이 된 것을 크게 기쁘게 생각합니다. 요즘처럼 참된 이웃이 없는 사회에서 교회가 아름다운 공동체를 이룬다는 것은 우리와 자녀에게 너무나 큰 축복입니다.

우리는 주로 도시의 아파트 생활을 하면서 이웃을 모르고 살아가고 있고 사람들이 선호하는 한가한 교외생활에서도 이웃이 사라져 가는 형편입니다. 이전에는 한동네에서 서로 이름과 얼굴을 알고 어른, 아이들이 오고 가며 살았지만 이제는 같은 동네에 살면서도 누가 누구인지 모르고 있습니다. 낮 시간에 어른은 모두가 일터에 나가고 아이들은 학교 후에 데이케어에 있으니 집들은 비어 있는 데다, 휴일이 되면 모처럼 가족끼리 지내다 보니 이웃과는 만날 시간이 없는 것입니다. 조사에 의하면 교외에 사는 사람들 중에 40%는 앞으로 5년 이내에 이사하겠다고 하고 지금 사는 곳에 산 지 5년이 못 되는 사람이 26%나 됩니다. 미국인은 일평생 평균 12번 이사하는데 1996-1997년 일 년 사이에 인구의 16.5%인 4,200만 명이 이사를 하였다고 합니다. 분주하게 발전적으로 이동하는 사회입니다만 이웃사촌이라는 공동체를 잃고 고립해 가는 것이 오늘의 현실입니다.

사람은 사회적 존재라 우리 모두는 이웃과 친구가 필요합니다. 사람들은 자신들이 사는 동네에서 발견하지 못하는 이웃을 교회에서 얻고 있습니다. 교회마저 없다면 사람들은 참으로 고독하게 살아갈 것입니다. 이런 면에서 우리 교회는 우리의 삶에 참으로 중요한 역할을 하고 있습니다. 교회에 나온 지 오래된 사람이나 새로 온 사람이나 모두가 함께 이웃이 되고 공동체를 이룹니다.

예수님께서는 하나님이시지만 우리 가운데 오셔서 우리를 친구로 삼았습니다. 우리 모두 그리스도의 심정으로 서로를 신뢰하고 마음을 열어 사랑을 나누도록 합시다. 그렇게 될 때 우리 모두는 만족스럽고 사랑스러운 가족이 될 것입니다.

>>> 명절과 축제 <<<

지난 9월 24일은 한국에서 가장 큰 명절인 한가위, 추석이었습니다. 정부에서 연휴를 정한 기간 동안 민족 대이동이 있었습니다. 고향을 방문하고 다시 서울로 돌아가는 길이 몹시 혼잡합니다. 그러나 잠깐이나마 방문할 고향이 있다는 것은 기쁜 일이고, 가뭄과 홍수에 시달렸지만 첫 열매로 수확한 것을 가지고 조상을 기억하는 것은 좋은 풍속입니다.

한국 민족은 즐거움을 아는 축제의 민족으로 다달이 축제가 있었습니다. 정월 설날, 2월 연등, 3월 삼진날, 4월 초파일, 5월 단오, 6월 유두, 7월 칠석, 8월 한가위, 9월 중구, 10월 상달, 11월 동지, 12월 구랍 등이었습니다. 살기가 어렵고 힘들수록 축제는 피로를 풀고 힘과 용기를 일으키며 공동체 의식을 강화합니다.

유감스러운 것은 우리가 축제를 많이 잃어버렸다는 것입니다. 특히 외국에서 살면서 우리는 한국의 명절이 오고 가는 것도 잊어버릴 때가 많습니다. 일에 시달리면서 민족적으로 하나 되어 즐거움을 나눌 여유를 갖지 못하고 있습니다.

유대인들도 축제가 많습니다. 신년절, 유월절, 무교절, 오순절, 장막절, 속죄일, 부림절, 안식일 등 그들은 조상 때부터 내려오는 명절의 유래를 기억합니다. 그리고 때로는 즐거움으로 때로는 숙연하게 지키면서 고난 가운데도 그 민족이 하나로 결속되고 살아가는 힘을 얻었습니다. 그들은 지금도 그 축제일의 대부분을 지키고 어디서나 하나 된 민족의 강한 힘을 나타내고 있습니다. 유대인들은 미국의 명절도 지키고 자기들의 명절도 지키니 연중 휴일이 많고 즐거움을 마음껏 누리고 있습니다.

우리도 명절과 축제를 제대로 누릴 수는 없을까요? 전통적인 명절을 누리려면 먼저 명절에 역사적인 의미가 충분히 부여되고 우리의 삶에 적용되어야 합니다. 이는 앞으로 연구가 필요한 일입니다.

그리스도인에게는 교회절기가 중요한 의미를 가집니다. 주일이야말로 예수님께서 인간의 원수인 죽음을 정복하고 부활한 날로서 하나님을 예배하며 그의 생명과 승리를 맛보는 날입니다. 찬양과 경배로 삶의 힘과 즐거움이 새로워지기를 바랍니다.

>>> 동역자들을 만난 기쁨 <<<

저는 지난 월요일부터 목요일까지 리빙 워터즈 대회 한인 목회자 계속교육 강사로 다녀왔습니다. 앨라배마, 미시시피, 켄터키, 테네시 4개 주에 있는 17개 한인 교회의 목사님과 사모님 약 20명이 애틀랜타에 있는 콜럼비아 신학교 계속교육원에서 연례 계속교육을 가진 것입니다. 저는 목사 계속교육의 강사로 초청된 것을 두렵게 생각하며 많이 사양하였지만 결국 하나님의 도움을 바라보며 수락할 수밖에 없었습니다. 이 교육은 "21세기의 영적 부흥과 지도자"라는 주제로 진행되었는데 준비하는 일에서부터 강의를 하는 일에까지 먼저 제 자신이 큰 도전과 은혜를 받았습니다. 또한 새로운 마음으로 21세기의 교회를 사역하겠다는 열의를 가진 동역자들을 만난 것은 큰 기쁨이요 소득이었습니다.

이곳은 미국의 깊은 남부인데도 각 곳에 한인들이 있고 이들을 구원으로 인도하는 교회와 그들을 섬기는 목회자가 있음에 감사하였습니다. 많은 분들이 참으로 겸손하고 은혜롭게 목회하고 있었습니다. 어떤 분은 거의 50세가 되어 부름을 받고 감사한 마음으로 사역 중이며, 어떤 분은 부부가 함께 농학 분야에서 최고 학위를 취득한 분들인데 한국과 미국에서 할 일이 얼마든지 있지만 하나님의 부르심을 받고 즐거움으로 목회하는 것을 보았습니다. 어떤 분은 애틀랜타 근교에서 미국 교회의 한 부분을 빌려 개척 교회를 시작하여 열심히 교회를 일으키고 있었습니다. 이 미국 교회는 한인 교회에 장소를 내어 주면서 지난 3년 사이에 교인이 4백 명에서 1천 명으로 늘어났습니다. 그리고 남전도회 회원 몇 명이 점심을 같이 하다가 교회당 신축 문제를 의논하고 65만 달러를 모아 담임목사에게 가지고 와서 교회당 신축을 제안하여 지금 신축 중에 있었습니다. 놀라운 일이었습니다. 어떤 이는 교회의 어려움을 이기지 못하여 사임하고 임지를 찾고 있었고, 또 어떤 분은 교인의 대부분이 여성도인데다 숫자가 너무 적어 애태우는 모습도 보았습니다. 이들을 만나면서 제 자신이 새로운 사명감을 가지고 돌아오게 되어 감사합니다.

>>> 총동원 전도주일을 앞두고 <<<

저는 어린 시절 시골에서 자라면서 소를 먹인 경험이 있습니다. 여름 방학 때나 학교에 갔다가 돌아온 오후에는 동리 친구들과 함께 소를 몰고 산으로 가서 방목하여 마음껏 풀을 먹게 합니다. 그동안에 우리는 여러 가지 재미있는 놀이를 하다가 해가 넘어갈 무렵이면 산으로 가서 만족할 만큼 풀을 먹은 소를 찾아 집으로 돌아옵니다. 즐거운 일입니다.

그런데 때로는 소를 잃어버릴 때가 있습니다. 어디에 가 있는지 알 수가 없지만 소를 찾을 때까지 찾아야 합니다. 친구들이 도와주지만 해가 넘어가고 땅거미가 지면 모두 집으로 가야 합니다. 그렇다고 혼자 찾아다닐 수도 없습니다. 그럴 때는 집에 내려가 다른 어른들과 함께 등불을 켜 들고 가서 찾아냅니다. 소가 생각하지 않은 곳에 있기도 하지만 때로는 가까운 곳에 있어도 보지 못하여 놓칠 때가 있습니다. 잃어버린 소를 찾으면 소 자신도 기쁜 표시를 하지만 찾는 이의 마음은 더욱 기쁨이 넘칩니다.

누가복음 15장에는 세 가지 잃어버린 것이 나옵니다. 양과 은전과 아들입니다. 열심히 찾다가 이들을 만나니 너무나 기뻐서 잔치를 합니다. 여기서 잃어버렸다는 것은 영원히 없어졌다거나 죽었다는 것이 아닙니다. 있을 자리에 있지 못하고 다른 곳에 가 있는 것입니다. 잃어진 그들은 찾아지기를 기다리고 있든지 또는 찾아지기까지 방황하고 있습니다. 찾는 사람은 누구입니까? 자기 것을 잃어버린 사람입니다. 남의 것에는 별로 관심이 없습니다. 불쌍한 마음을 가진 사람이 찾습니다. 예수님께서는 목자 없는 양과 같이 방황하는 사람들을 불쌍히 여기서서 그들을 찾아 돌보셨습니다.

다음 주일은 총동원 전도주일입니다. 우리 한미 양떼에 속한 하나님의 양 가운데 잃어버린 자들이 있습니다. 이들은 헤매며 관심과 사랑을 기다리고 있습니다. 목자이신 주님의 심정을 가지고 이들을 찾기를 바랍니다. 전화, 편지 또는 방문으로 이들을 찾아 주님 앞으로 교회로 다시 인도합시다. 그렇게 될 때 하나님과 찾는 이의 기쁨이 어우러진 진정한 천국의 잔치가 될 것입니다.

>>> 영혼 구원 사역 <<<

며칠 전 세계 인구는 60억이 되었습니다. 인구 폭발이라는 말이 실감납니다. 그중에 중국의 인구가 13억이 되고 인도의 인구가 10억입니다. 출산율은 줄어들어 인구 증가 속도가 둔화될지는 모르지만 사람의 평균 수명이 길어지면서 노년 인구가 점점 많아지는 실정입니다. 중국에는 60세 이상이 1억 3천만이나 되며 러시아 코카서스 지방에는 100세가 넘어야만 들어갈 수 있는 합창단이 있을 정도로 장수하는 사람이 많다고 합니다.

젊은 시절에 가족 부양, 자녀 양육, 직장이나 사업으로 인해 허리 펼 새가 없이 분주한 생활을 하다가 밀려나듯 은퇴를 하여 일을 놓고 나면 생의 자유로움을 누리기도 하지만 동시에 허탈감에 빠지기도 합니다. 그러기에 '비바 노년시대' 곧 '노년시대 만세'라고 하면서 노년시대를 의미 있게 보내기 위한 새로운 활동들이 일어나고 있습니다. 동경의 노인연구소 시바타 소장은 젊은이의 부양을 받지 않고 홀로 서서 사회 참여와 주체적인 삶을 사는 자를 행복한 사람이라고 말합니다. 시카고에서도 많은 연장자들이 스스로 하고 싶은 일을 찾아 취미와 봉사활동을 하며 은퇴하기 전보다 더 바쁜 나날을 보내고 있습니다. 이런 분들은 모두 밝고 건강하게 생활하고 있습니다. 일이 없는 사람은 무료하여 몸과 마음이 점점 약해지기에 무엇인가 일거리가 있는 것이 좋습니다.

개미같이 일하는 젊은 활동가라 해도 자기 중심으로 일하다 보면 삶의 의미에 회의를 가지기도 합니다. 사람이 떠날 때 무엇을 남기고 가는가 하는 것은 중요한 삶의 질문입니다. 재산이나 명예도 잠깐이면 지나갑니다. 반면에 사람을 돌보고 사랑을 나누는 일은 귀한 일입니다. 사람을 교회와 하나님께로 인도하는 것은 영원히 가치 있는 하나님 나라의 일이요, 하나님 앞에서 칭찬과 상이 있는 일입니다. 그리스도의 사랑을 이웃과 나누는 사람들은 영혼 구원의 기쁨과 보람을 가집니다. 연령에 상관없이 이 영혼 구원의 사역에 참여하는 사람은 언제나 행복하고 건강한 나날을 보낼 수 있습니다.

>>> 격려의 **힘** <<<

제게 있어서 드물게 지난 주간은 본 교회 밖에서 두 가지 일정이 있었습니다. 10월 19일에서 21일까지는 LA에서 "새 천년의 문을 열어라"는 주제로 한민족 세계 교회 지도자 대회가 있었는데, 48개국에서 온 170명과 함께 참석하여 조찬기도회의 설교를 하였습니다. 22일부터 24일까지는 앨라배마 버밍햄의 한인장로교회에서 부흥사경회를 인도하였습니다.

피곤한 가운데 25일에 시카고로 돌아와 저녁에 신임 제직원 교육을 위하여 교회에 왔더니 책상에 카드와 선물이 놓여 있었습니다. 궁금하여 열어 보았더니 '목회자 감사의 달을 맞이하여 감사합니다' 하며 수요 제자 양육 여자반원들이 준비한 것이었습니다. 선물은 목사라는 글이 쓰인 아름다운 컵이었습니다. 감사함과 함께 격려를 받았습니다. 여러분에게 감사합니다. 지금까지 목회자 감사의 달이 있다는 것도 모르고 있었습니다. 부름 받은 주님의 심부름꾼으로 할 일을 한다고 했지만 항상 부족함을 느껴 왔는데, 이렇게 격려하는 카드를 받으니 몹시 피곤하던 몸에 새 힘이 일어남을 발견하였습니다.

격려는 서로에게 참으로 필요한 것입니다. 부모가 자녀를 인정하고 격려하는 것이나 부부가 서로를 격려하는 것은 가정을 정말 행복하고 아름답게 해줍니다. 교회에서도 여러 성도들이 아름답게 섬기며 맡은 일들을 감당하는 것을 서로 인정하고 격려하는 것은 교회 전체를 건강하고 힘 있게 만들어 줍니다.

바울 사도는 성령이 충만한 위대한 그리스도의 사도였습니다. 그러나 그에게는 많은 어려움과 고통이 있었습니다. 외적인 핍박과 반대가 있었으며 신체적인 약함이 있었고 마음으로도 영과 육의 많은 갈등이 있었습니다. 그러나 그가 승리자로 사역할 수 있었던 것은 하나님이 언제나 함께하셨고 그를 격려하고 도운 사람들과 교회가 있었다는 것입니다. 교회가 그를 위해 기도하며 물질로 도왔습니다. 어떤 이는 그를 위해 목이라도 내어 놓을 정도였습니다. 훌륭한 사역자 뒤에는 많은 격려자가 있었습니다. 그렇기에 여러분의 격려에 다시 한 번 감사드립니다.

››› 사랑을 나누는 감사절 ‹‹‹

지난 주간 감사절을 지내면서 많은 사람이 가족을 만나러 여행을 하였습니다. 비행기로 여행한 사람이 약 2천5백만 명, 자동차로 100마일 이상 여행을 한 사람이 또한 그 정도가 된다고 하니, 기차 여행자를 고려하지 않아도 약 5천만 명이 여행을 한 것입니다. 가정마다 전통요리가 준비되고 즐거운 잔치가 있은 줄로 압니다. 이날은 가정을 떠나 살면서 열심히 일을 하다가 일을 쉬기도 하는 때이지만 한동안 보지 못하던 가족이나 친구를 만나기 위해 여행을 하는 것은 또한 감동적인 일입니다.

금년에 우리 가정의 세 딸들은 아무도 오지 못하였습니다. 동부에 살면서 주일에 교회 봉사를 하여야 하므로 시간이 허락하지 않아 이곳에 오지 못하고 결혼한 큰딸 집에 딸들이 함께 모였습니다. 큰딸이 시부모와 시누이, 그리고 자기 동생들과 함께 지내며 이메일로 모임 사진을 보내 주어서 우리도 같이 즐길 수 있었습니다. 우리 부부는 미국에 살면서 처음으로 어머님을 모시고 조카와 함께 감사가 솟아나는 더욱 의미 있는 감사절을 보냈습니다.

이런 명절을 맞이하면 가족이 있는 사람은 오고 갈 곳이 있지만 가족이나 친지가 없는 사람의 경우 오히려 외로움을 더욱 느끼기도 합니다. 그러기에 형편이 비슷한 사람들이 서로 사랑을 나눌 수 있는 좋은 기회도 됩니다. 제가 동부에 살고 있을 때는 가족도 단출하였지만 오고 갈 다른 가족이 없었기에 교회에서 외로운 사람, 혼자 지나는 사람들과 함께하는 좋은 시간을 가질 수 있었습니다.

그러나 시카고에 오고 난 뒤에는 형편이 달라진 것을 봅니다. 오히려 저희 가정이 초대를 받게 됩니다. 초청하는 가정의 사랑을 받아들이는 것이 그들을 섬기고 사랑하는 것입니다. 또한 손님을 대접하다가 천사를 대접한 아브라함의 가정처럼 그 가정에 복이 임하는 것을 보게 됩니다. 사람은 서로 오갑니다만 초청할 때는 대신 갚을 수 없는 사람을 초청하는 것이 진정한 주의 사랑이요, 천사를 대접하는 것입니다. 이러한 초청은 부담 없는 감사를 일으키며 온전한 하나님의 보상을 가져옵니다.

>>> 성령으로 잉태한 마리아 <<<

오늘 우리 성도들은 구주 예수 그리스도의 탄생을 감사하며 기쁨으로 맞이합니다. 그러나 처음 예수님의 탄생은 쉽게 받아들일 수 있는 것이 아니었습니다. 요셉과 약혼을 하였지만 아직 남자를 알지 못하는 처녀 마리아에게 하나님의 천사가 나타났습니다. 그리고 그녀가 수태하여 아들을 낳을 것과 그 아이는 하나님의 거룩한 아들임을 예고하였습니다. 마리아는 너무나 놀랐습니다. 그녀가 임신한 것이 드러나면 약혼이 파기될 것이며, 나아가 그녀는 불륜을 저지른 사람으로 인정되어 돌에 맞아 죽어야 하기 때문입니다. 마리아는 이런 위험에도 불구하고 성령과 하나님의 능력에 자기의 삶을 온전히 의탁하였습니다.

요셉의 경우에는 그의 약혼녀 마리아가 자기도 모르는 사이에 잉태한 것을 알았습니다. 요셉은 의로운 사람이라 이를 드러내지 않고 약혼 관계를 가만히 끊고자 하였습니다. 마리아에게 다른 어려움을 주고 싶지 않았던 것입니다. 하나님의 사자가 요셉에게 나타나 마리아의 임신은 성령으로 된 것이며, 앞으로 태어날 아들은 자기 백성을 죄에서 구원할 자이기에 그를 아내로 삼는 것을 주저하지 말라고 하였습니다. 요셉은 하나님의 뜻을 따르기로 하였습니다. 그는 호적하기 위하여 베들레헴으로 갈 때 만삭된 그녀와 함께하였고 아들이 태어났을 때 돌보았습니다. 사람들은 그를 바보라고 욕하였을 것입니다. 부끄러운 일이었지만 요셉은 감당하였습니다. 인간적인 두려움이나 상식을 따랐다면 그리스도의 탄생은 일어나지 않았을 것입니다.

　모든 것이 이해되는 상식적인 과정을 통해서만 역사가 이루어지는 것은 아닙니다. 더욱 인간 구원의 일은 그렇게 쉽게 되는 것이 아닙니다. 한 나라가 세워지고 발전하는 뒷면에는 자기를 희생한 애국자들이 있으며, 훌륭한 인물의 배후에는 눈물로 수고한 사람이 있습니다. 은혜로운 교회나 조직에는 기도하며 삶을 바친 성도들이 있습니다. 지난 1년을 돌아보며 순전하게 충성하며 교회를 위해 봉사한 여러분을 생각하고 감사를 드립니다. 새해에도 하나님은 마리아와 요셉 같은 이런 인물들을 찾고 계십니다.

제2부

감사하는 기쁜 마음

아름다운 자연, 건강한 삶, 죄와 죽음에서 구원받은 것
등으로 하나님께 감사하는 것이 축복이지만
사소한 일에 감사의 마음을 가지고 표현할 수 있다면
우리 삶은 참으로 행복하게 될 것입니다.

>>> 비전 2020 <<<

일 년의 계획은 정월 초하루에 있다는 말이 있는데, 새로운 해를 맞으며 여러분이 세운 모든 계획과 소원이 모두 이루어지기를 기원합니다. 목회자로서 저는 개인적인 소원도 있지만 우리 교회를 향한 다음과 같은 이상을 가지고 있습니다. 1년간의 단기계획을 세울 수도 있지만 그보다는 미래를 내다보며 한미 2020이라는 목표를 세워봅니다. 2020은 2000, 200, 20으로 나누어 2천 명의 영적 자녀 출산과 2천 명의 제자 양육, 200명의 소그룹 지도자 양성과 200명의 지도자(장학생) 및 200 선교지 후원, 20 교회 개척, 20명 선교사 파송, 20명의 스태프를 가지는 것입니다.

그리스도께서는 교회를 그의 신부라고 하셨는데 이는 둘이 하나되어 서로 사랑하는 것입니다. 또한 결혼관계에서는 자녀를 생산하게 되어 있습니다. 우리 모든 성도들은 주님과 관계를 맺음으로 앞으로 20년 동안 두 명의 영적 자녀를 출산하도록 목표를 세우고 전도하여 총 2천 명의 새로운 성도를 만들자는 것입니다. 그리고 1년에 100명의 제자를 양육하여 2천 명의 제자를 길러내기를 원합니다.

미래의 이상적인 교회는 소그룹이 활성화되는 교회라고 합니다. 교역자는 성도들을 훈련하고 실제 사역은 평신도들이 맡아 하는 교회가 21세기의 건강한 교회가 될 것이라고 합니다. 그래서 저는 200명의 소그룹 인도자를 배양하고 200개의 소그룹이 활발하게 사역하는 교회가 되기를 원합니다. 아울러 사회를 위하여 200명의 미래 지도자를 장학금으로 육성하여 배출하고 싶습니다. 그리고 200곳의 선교사, 선교기관을 통하여 세계 복음화에 적극 참여하고자 합니다.

또한 우리 성도들이 영적 자녀를 출산하는 것과 같이 교회가 교회를 출산하여 20개의 개척 교회를 가지며 세계 선교를 위해 20명의 선교사를 파송하고, 이런 일들을 위하여 20명의 전담 스태프가 교회 안에 있게 될 것입니다. 이것은 하나님이 저에게 주신 꿈이지만 성령의 축복으로 스태프와 온 교우가 하나 되어 기도하고 노력함으로써 아름답게 실현될 수 있으리라 믿습니다.

>>> 제자의 도를 배우자 <<<

어떤 축구 선수가 피아니스트와 결혼을 했는데 어느 날 아내와 함께 음악회에 갔습니다. 아내는 감동을 받으며 눈물까지 흘리고 있는데 남편은 깊은 잠을 즐기고 있었습니다. 미안함을 느낀 남편은 행복한 가정 생활을 위하여 음악에 대한 기본적인 것을 배우기로 결심하였습니다.

우리는 모두 그리스도의 신부인 교회입니다. 우리가 그리스도와 행복한 관계를 맺기 위해서는 그를 닮아야 할 것입니다. 예수님께서는 사람들을 불러 함께 생활하며 그들을 제자로 삼았습니다. 제자란 스승에게서 배우고 훈련받고 그를 따르는 사람입니다. 삶의 방향과 목적이 스승과 같아지는 것입니다. 좋은 제자가 되는 것은 쉬운 일이 아니기에 힘든 훈련이 필요합니다. 훈련은 어렵지만 그 뒤에는 큰 인정, 보람, 기쁨과 감사가 있습니다.

우리 교회의 모든 성도는 믿음직하고 아름다운 주님의 제자로 부름을 받았습니다. 주님처럼 살고 주님처럼 사역하기 위해서는 교육이 필요합니다. 목사, 장로, 집사, 권사, 찬양대원, 교사만이 아니라 온 교우들이 훈련을 받아야 합니다. 그래서 1월 말부터 제자양육을 실시하려 합니다. 무엇보다 먼저 주의 제자가 되기 위해 배워 보겠다는 결심을 하고 참여할 수 있기를 바랍니다. 바이올린을 하겠다는 사람이 일주일에 한 번 연습하여 얼마나 연주할 수 있겠습니까? 일주일 후에 스승을 만나러 갈 즈음에는 거의 다 잊어버렸을 것입니다. 주일예배 한 번으로는 우리 신앙이 자라지도 않을 뿐더러 성도로서 역할을 감당하기도 어렵습니다. 여러분 모두의 신앙이 크게 자라기를 원합니다.

1월 한 달 동안 주일 오후에는 여러 가지 교육이 있습니다. 제직원, 구역장, 선교회장, 위원회 부서장, 양육 지원자의 훈련을 진행하고 있습니다. 일반 교우들도 훈련이 필요하지만 일을 맡은 사역자들에게는 말할 것도 없습니다. 기본적인 훈련과 교육을 통하여 본인들이 스스로 실천하고 단련하도록 해야 합니다. 구역과 선교회 등 각 조직체가 활발하게 살아 움직이는 것은 책임 맡은 사역자에게 달려 있습니다. 모든 사역자들이 훈련을 받고 함께 달릴 것을 기대합니다.

104

››› 은혜 요소 제거 ‹‹‹

비 타민 C가 몸에 좋다는 것은 잘 알려져 있습니다. 저는 피곤하면 입안이 헐고 입술이 잘 부르트기 때문에 비타민 C를 먹고 있습니다. 그런데 얼마 전 서울대학교 의과대학 이왕재 교수의 강의 테이프를 듣고는 더 부지런히 복용하고 있습니다. 그의 말에 따르면 노화 현상이 사람을 약하고 병들게 만드는데, 비타민 C는 노화 현상을 막아 주는 역할을 한다고 합니다. 사람이 먹은 음식이 소화되어 몸에 힘이 되는 열량으로 바뀌기 위해서는 산소와 결합을 해야 하는데, 그 과정에서 75%는 열량으로 변하지만 25%는 유해 산소가 되어 몸에 해를 끼칩니다. 이 유해 산소가 노화 현상의 주원인이며 혈관벽에 상처를 입혀서 고혈압이나 당뇨병 환자에게는 크게 해를 줍니다. 그러나 비타민 C는 유해 산소의 발생을 막아 준다고 합니다. 그러기에 음식을 먹을 때마다 비타민 C를 같이 먹으면 유해 산소 생성을 억제하고 혈관벽이 튼튼해진다고 합니다. 이 교수는 음식을 먹을 때마다 약

2천mg의 비타민 C를 복용하여 하루 약 10g을 섭취한다고 합니다. 생명을 누리고 사는 데 음식은 필수적인 것이지만 여기에서 건강을 해치는 유해 산소가 생기는 것은 피할 수 없는 일입니다. 그러나 유해 산소를 중화하는 비타민 C가 있다는 것은 축복입니다.

우리 모두는 하나님과의 건강한 관계를 누리기 원하지만 세상에는 우리 영혼을 해치고 상하게 하는 일이 많습니다. 악령의 유혹도 있지만 우리 속에서 일어나는 많은 정욕과 죄악은 유해 산소와 같습니다. 말씀에 든든히 서서 믿음을 지키며 자신의 부족을 인정하고 죄를 회개하는 길이 독소를 막는 길입니다. 또 사람과의 관계를 해치는 것도 많습니다. 무시, 미움, 시기, 원망, 비난, 비평, 정죄 등입니다. 인정, 용납, 격려, 칭찬은 관계를 든든하게 해줍니다. 상대방을 위하여 기도하고 축복하며 그를 향한 하나님의 계획과 말씀을 받아들이며 그를 하나님께 맡길 때에 하나님은 깨어진 관계를 치료해 주시고 건강한 관계를 이뤄 주십니다. 우리의 육신과 영혼 그리고 관계가 항상 건강하기를 소원합니다.

>>> 결산 공동의회 <<<

어느 목요일 저녁에 클린턴 대통령의 국회에서의 마지막 국정 연설이 있었습니다. 대통령으로서 그의 업적을 총괄하면서 지금 미국은 어느 때보다 번영과 발전을 누리며 국가 안으로나 밖으로나 별로 위기나 위협이 없기에, 역사상 이 시점에 살고 있는 것이 다행이며 최강의 국가 상황이라고 하였습니다. 이에 대해 그는 감사와 겸손한 마음을 가지면서 아울러 새 천년의 산꼭대기에 서서 뒤로는 미국의 큰 업적을 보고 앞으로는 큰 가능성의 새 땅과 먼 앞날을 내다보며 나라의 큰 목적을 세워 처음 건국 때처럼 새로운 나라가 돼야 한다는 연설로써 미국이 나아갈 방향을 제시하였습니다. 그는 교육, 의료, 총기 관리, 세금, 질병 퇴치, 환경 보호, 국제 문제 등에 대해 큰 변혁과 예산 사용을 제안하며 많은 기립박수를 받았습니다. 그는 인종 일치에 공헌한 야구 선수, 총기에 희생된 학생의 부모, 유고 전쟁에서 동료를 구한 공군을 소개하며 박수와 격려를 보냈습니다. 그에게서 1년 후면 퇴임한다는 인상은 전혀 찾아 볼 수가 없었습니다. 오히려 비전과 정력을 가지고 새로이 취임하는 대통령과 같이 미국에 대한 큰 희망과 기대를 나타냈습니다. 연설장은 여야가 구분이 없는 축제요 잔치였습니다. 이런 모습이 바로 미국의 힘인 것 같습니다.

오늘 우리는 지난 1년의 결산공동의회를 가집니다. 당회원과 제직원, 모든 성도들이 몸과 재능, 시간과 물질을 바쳐 한결같이 헌신함으로써 교회가 할 사역을 잘 감당하게 된 것을 감사합니다. 연륜이 오래되면 타성이 생기고 생명력이 결여되는 경우가 많습니다. 그러나 우리 교회에는 주의 일을 얼마든지 할 수 있는 가능성이 잠재되어 있고 또한 발휘하고 있기에 감사한 일입니다. 공동의회에서는 대개 회계 결산이 중심이지만 온 교우들이 교회 형편과 목회 활동 사항을 아는 것이 당연할 것 같아 감사한 마음으로 간단한 보고서를 만들었습니다. 아울러 앞으로 우리 교회의 방향과 사역을 위하여, 한미 비전 2020이 이루어지도록 계속하여 기도하고 협력해 주시기를 바랍니다

결산 공동의회

>>> 고유 명절 회복 <<<

어제는 음력으로 설날 곧 경진년 용의 해를 맞이하는 첫날이었습니다. 한국에서는 한때 이중과세, 곧 신정과 구정 두 번의 명절을 지내는 것을 배격하고 양력만을 사용하도록 권했습니다. 그러다가 이제는 설날을 큰 명절로 정하고 3일간 연휴를 가지며 가족이 즐거운 시간을 함께하고 있습니다. 열심히 일하는 사람에게는 이런 축제의 명절이 휴식이 되며 멀리 있던 가족과 친구를 만난다는 것이 기쁨이요 삶의 힘이 되므로 대단히 중요하다고 생각합니다.

조국을 떠나 열심히 일하며 사는 우리는 세월이 어떻게 지나가는지를 의식하지 못할 때가 많습니다. 그래도 조국의 명절을 기억하고 그 의미를 살리면 좋을 것 같습니다. 중국 사람들은 어느 나라에 가 있든지 이 설날을 큰 명절로 삼아 자부심을 가지고 여러 가지 행사를 합니다. 우리는 어느 면에서 중국인에게 가려지는 것을 느끼지만 그래도 국가적인 명절을 통하여 문화를 같이 나누면서 민족이 하나로 뭉칠 수 있는 좋은 기회를 만드는 것이 필요합니다. 유대인들의 경우 그들의 명절이 그들을 강하게 하고 하나가 되게 하는 큰 요소입니다.

설날이 되면 이른 아침에 온 가족이 장손 집에 모여 조상에게 차례를 지냅니다. 또한 집안 어른과 이웃 어른들에게 세배를 드리며 복을 많이 받으라고 서로에게 복을 빌어 주는 아름다운 시간을 갖습니다. 떡국을 먹으며 윷놀이와 연날리기로 즐거운 시간을 가집니다. 어른, 아이 모두에게 설날은 희망과 기쁨입니다.

우리의 고유명절을 새롭게 살려 즐거움과 하나됨을 굳게 할 수 있는 길이 없을까요? 이 일에 교회가 중심이 될 수 있습니다. 그리스도의 교회는 본래 모일 때마다 즐거운 축제가 있었습니다. 구원받은 감격으로 사랑의 하나님께 예배하고 가르침을 받으며 서로를 위하여 축복하고 기도하며 같이 음식을 나누면서 온전한 공동체를 이루었습니다. 하나님은 지금도 우리 가운데 살아 계셔서 우리를 인도하고 돌보십니다. 이로 인해 예배 때마다 감사하고, 모일 때마다 서로에게 축복하는 삶의 즐거운 축제를 가질 수 없을까요?

>>> 무엇을 위해 바쁜가? <<<

현대인의 생활을 한마디로 표현하면 '바쁘다' 라고 할 수 있습니다. 세상이 너무나 분주하게 돌아가며 사람마다 시간과 일에 쫓기는 것 같습니다. 실제 일이 많아 바쁠 수도 있습니다. 또는 바쁘다고 해야 책임 있는 위치에서 사람 구실을 하는 것 같은 인상을 주기도 합니다. 다른 사람이 자신을 귀찮게 하지 않도록 바쁘다는 것으로 방패막이를 삼기도 한다고 봅니다. 은퇴를 하고 실업 상태에 있으면서도 바쁘다고 할 수도 있습니다.

사람들은 담임목사를 바쁜 사람이라고 생각합니다. 어떤 교우들은 목사가 바쁘기 때문에 그에게 연락하지 않는다고 합니다. 심지어 가정에 어려운 일이 생기고 병원에 입원하는 일이 있는데도 목사에게 알리지 않습니다. 바쁜 목사에게 알리는 것이 미안하다는 것입니다. 목사의 기도나 영적인 보살핌이 필요없는 것이라면 목사가 무엇을 위해 바빠야 하는지 물어 보고 싶습니다. 일이 많은 것은 사실이지만 목사로서 해야 할 일을 하지 못할 정도로 바쁜 것은 아닙니다. 그리고 바쁘다는 것 때문에 해야 할 일을 하지 않고 지나가려고 생각하지도 않습니다.

얼마 전 공동의회에서 교회 현황과 함께 담임목사의 1년간의 목회 활동을 개략적으로 보고한 바가 있습니다. 목사가 얼마나 분주하게 일했는가를 보여 주려는 것이 아니라 어떻게 분주했는가를 보여 드린 것입니다. 설교하고 가르치는 것이 목사에게 가장 중요한 일이라는 것이 나타났습니다. 심방하고 교우들을 만나는 것이 다음으로 큰일임이 나타났습니다. 물론 회의를 인도하며 행정하는 일도 목사가 반드시 해야 할 일입니다. 이런 일들을 효과적으로 하기 위해 스태프와 평신도 사역자가 있습니다.

목회자는 교회와 성도들을 위해 있습니다. 여러분을 위하여 바쁜 것을 좋아합니다. 어려운 문제가 있거나 도움이 필요한 때에 목사가 바쁘다고 생각하여 연락하지 않는다면 목사는 바쁠 일이 없을 것입니다.

>>> 계속 교육 <<<

지난 2주간 맥코믹 신학교의 목회학 박사 과정에서 한국의 목회자 26명이 교육을 받고 갔습니다. 오래 전 제가 목회학 박사 과정에 관심을 가질 때 누군가가 "목회 5년만 하면 목회 박사가 되는 것이지 다른 학위가 더 필요한 것인가"라고 묻던 것이 생각납니다. 몇 년 동안 한 가지 일을 하면 이력과 기술이 생겨 그 일에는 전문인이 된다는 것으로 이해하면 일리가 있는 말입니다. 그렇지만 현장 경험과는 달리 새로운 학설과 정보가 계속 쏟아져 나오기 때문에 항상 새롭게 배우는 것은 어느 전문 직에나 필요합니다. 컴퓨터를 사용하는 경우 1년이 멀다하고 새로운 프로그램이 나오기에 이를 배우지 않으면 시대에 뒤떨어지는 것을 느끼게 됩니다. 의사나 교수를 해도 항상 계속 교육이 필요합니다. 목회를 오래 했다고 해도 특별한 기회에 학생이 되어 교수들을 통하여 강의를 받으며, 그동안의 목회를 반성하고 평가하여 새로운 계획을 세우고 실행할 도전을 받는 것은 매우 좋은 일이라고 생각합니다.

특히 이번 팀의 인솔 교수는 저의 친구였으며, 학생 반장은 한국에서 역사와 이름이 있는 큰 교회의 담임목사로서 신학교 1년 선배였습니다. 이 반장은 이미 목회학 박사 학위 소유자이지만 늦은 나이에 맥코믹에서 다시 공부를 시작한 것입니다. 맥코믹 출신들의 목회에 새로운 변화와 발전이 있다는 평이 있기 때문입니다. 저도 새롭게 공부하고 싶은 충동을 받았습니다.

신앙생활도 그렇습니다. 평생을 신앙생활했다고 하지만 사실 구태의연한 것이 많습니다. 성경을 체계적으로 공부할 기회가 별로 없었습니다. 신앙의 성장, 활력과 기쁨, 도전을 발견하기가 어렵습니다. 겸손한 마음으로 능력 있는 신앙생활을 사모하며 새롭게 학생이 되어 배우고 훈련받는 것은 우리 모두에게 큰 도움이 됩니다. 지금 제자 훈련이 진행중입니다. 훈련이 쉬운 것은 아니지만 훈련 후에는 반드시 기쁨이 있는 것을 내다보며 모두 열심히 참여하고 있습니다. 제자 훈련을 받는 모든 이들에게 하나님께서 크게 상 주실 것을 믿습니다.

>>> 하나 되는 운동 <<<

사람의 이해관계는 정치에 많이 나타나는 것 같습니다. 미국 대통령 후보 지명을 위한 전당대회를 앞두고 유세가 한창 진행되고 있습니다. 어떤 이는 지명을 받을 목적으로 자기 당을 떠나 다른 당에 입당하기도 합니다. 이스라엘의 지난 총선거에는 20개 이상의 정당이 등록되어 춘추전국시대같이 개인의 이해관계에 따라 이합집산하였습니다. 이처럼 정치는 복잡합니다.

이런 상황 속에서 이번 주말에 종교계에서는 하나 되는 운동이 일어나고 있습니다. 회교 단체 '네이션 오브 이슬람'의 지도자 루이 파라칸이 국제회교대회를 맥코믹 플레이스에서 개최하는데, 그와 필적하던 두 단체의 대표가 함께 참여하였습니다. 파라칸은 심한 인종분리주의자로서 백인 반대, 유대인 반대 운동을 벌였기에 그와 분리된 사람이 많았습니다. 그러나 그가 작년에 심한 병을 앓고 난 뒤에는 인종보다는 정통 신앙을 강조하며 새사람이 된 표시가 나타나므로 그를 반대하던 사람들이 그와 함께 모여 화합을 보이고 있습니다.

로마 가톨릭의 존 폴 교황은 주후 2000년을 맞으며 개인적으로 영적 순례를 위해 기독교 성지를 방문하는 일정을 진행하여, 지난 목요일 이집트에 도착해서 어제 토요일에는 모세가 10계명을 받은 시내 산에서 기도하였습니다. 그는 아브라함의 후손인 회교, 유대교, 기독교 대표자를 만나 평화를 진작하고 서로 분리된 거리를 좁히며 종교간의 대화와 이해를 하려고 힘썼습니다. 쉽지 않은 일이지만 시도를 한 것은 칭찬할 만한 일입니다.

우리는 예수 그리스도를 믿음으로 죄에서 구원받아 영생을 소유하며 삶에 평화를 가지는 축복과 유익을 누립니다. 동시에 우리는 하나님의 사랑과 구원이 모두에게 전달되기를 바라는 주의 소원을 알고 있습니다. 비록 교단과 교회는 달라도 우리는 모두 하나님 안에서 같은 유익과 목적을 가집니다. 한 교회 안에서 우리는 한 형제자매요, 한가족입니다. 개인의 차이를 넘어서서 하나님 안에서 화목하고 하나 될 때 그분의 일을 이룰 수 있습니다. 우리가 하나임을 날마다 새로이 다짐하도록 합시다.

하나 되는 운동

>>> 3 · 1 운동을 기억하며 <<<

지난 3월 1일은 일본의 식민지 압제에서 벗어나기 위하여 온 국민이 하나 되어 한국은 자주국가요, 한국민은 자주민이라고 독립선언서를 낭독하며 독립운동을 일으킨 지 82년이 된 날입니다. 세월이 지나면서 그날의 감격이 많이 사라지기도 했지만 각처에서 3월 1일을 기억하고 기념식을 가졌습니다. 이 독립운동의 의미를 생각하며 그 의미를 우리의 삶에 되살리기를 원합니다.

일본은 무력과 폭력으로 한국을 합방한 후 한국의 전통적 사회구조를 파괴하고 토지개혁이라는 이름으로 전국의 땅을 수탈했습니다. 그리고 문화와 역사를 말살하며 창씨개명을 하고 언어마저 사용하지 못하게 하였습니다. 국민은 좌절에 빠졌고 뜻이 있는 사람은 만주, 시베리아, 일본, 미국 등으로 망명하며 때를 기다리고 있었습니다. 이런 때에 나라의 상징인 고종 황제가 서거하고 그것도 독살을 당했다는 소문이 있자 국민들은 더 이상 참을 수가 없었습니다. 미국의 윌슨 대통령이 1차대전 후 한 나라의 정치 형태는 그 민족이 결정하는 것이며 다른 누구도 강요할 수 없다는 민족자결주의를 주창하자 그로 인해 한국인들은 독립을 더욱 열망하게 되었습니다.

한국 교회는 선교사들의 3자 정책으로 자급, 자전, 자치의 훈련을 받고 이미 전국 총회가 조직되어 한국 교회 지도자가 자치를 시행하고 있었습니다. 선교사들은 대개 정치와 중립적인 견해를 가지고 직접 독립운동에 관련하지는 않았지만 교회의 자치를 통하여 나라의 독립과 자치를 내다보았습니다. 어떤 선교사는 노골적으로 일본의 야만성을 지적하며 그들은 다른 나라를 지배할 자격이 없다고 세계에 알리기도 했습니다.

독립운동이 금방 성공한 것은 아니지만 한국 민족은 독립을 갈망하며 한마음이 되었고 세계의 분위기는 여기에 호응해 주었습니다. 우리는 자유민으로 이국 땅에서 살고 있습니다. 교회를 통하여 하나로 뭉치고 한마음이 될 때 인정을 받으며 해야 할 일을 잘 감당할 수 있을 것입니다.

››› 인구 조사 ‹‹‹

이 번 주간은 미국에서 10년마다 실시하는 센서스 2000이라는 인구 조사 용지가 우편으로 각 가정에 배달될 것입니다. 2000년 4월 1일자로 미국에 살고 있는 사람은 누구든지 이 용지에 기록하도록 법이 요구하고 있습니다. 이 결과에 따라 도시와 지역의 크기가 나타나고 국회의원의 숫자가 결정되고, 그 도시와 지역을 위한 정부의 지원금액이 결정됩니다. 도로, 학교, 의료시설, 그 외 많은 프로그램에는 상당한 재정이 필요한데 인구수에 비례하여 지원이 되기에 주민 계수가 정확하게 되어야 합니다.

더욱이 우리 한인은 소수이기에 무시당하는 경우가 많으므로 모두가 참여하여 우리의 숫자를 분명히 알려야 합니다. 선거를 하면 결국 숫자 대결이기에 인구수가 많으면 대우를 받게 됩니다. 히스패닉 계통의 인구가 많아지면서 그들의 사회적 위상이 많이 달라져가고 있습니다.

인구 조사는 성경적인 배경을 가지고 있습니다. 민수기는 인구 조사 기록입니다. 이스라엘 백성들이 애굽의 노예생활에서 벗어난 때부터 12지파별로 인구 조사를 하였습니다. 그리고 광야 40년을 지난 후 약속의 땅에 들어가기 전에 다시 인구 조사를 했고 그 인구수에 따라 땅을 분배받았습니다.

예수님은 목자가 양 100마리를 가진 경우 그 양을 계수해서 한 마리가 빠졌으면 아흔아홉을 우리에 두고 잃은 한 마리를 찾는다고 하였습니다. 하나님은 목자로서 자기 양들을 헤아리십니다. 우리는 하나님의 양입니다. 이것은 우리에게 큰 축복이요 특권입니다. 우리가 일단 주님의 천국 백성으로 계산이 되면 하나님은 우리에게 대하여 책임을 지십니다. 하나님은 우리를 헤아리어 우리의 위치를 파악하고 우리를 지키고 보호하십니다.

주님의 양을 섬기고 있는 우리 교회는 매 주일 교우들을 구역별로 살펴서 누가 예배에 참석하였으며 빠졌는지를 헤아립니다. 이로써 교우들을 영적으로 돌보고 양육하며 섬기고자 합니다. 이번 센서스 2000에 참여하는 것은 바로 우리 자신을 위한 것이므로 빠지지 말고 모두 참여하시기를 바랍니다.

>>> 용서 못할 잘못이 있나? <<<

지난 주일에는 기독교 2천 년 역사에 처음으로 로마 가톨릭 교황이 그동안 가톨릭 교회가 저지른 죄에 대하여 공식적으로 사과하고 용서를 구하였습니다. 그는 2000년을 맞아 새로운 천 년을 시작하는 데는 교회의 양심과 기억을 청결케 하는 것이 긴급한 자신의 사명으로 알았습니다. 그리고 이미 교회가 저지른 100가지 이상의 특별한 죄에 대하여 사과를 하였지만 지난 주일에는 로마 베드로 성당에서의 예배를 '용서의 날 예배'로 정하고 설교 중에 교회로 인하여 상처 받은 모든 사람에게 사과를 하였습니다.

그는 교회 분열, 진리를 위해 폭력을 사용한 것, 다른 종교 신봉자에 대해 불신과 적대감의 태도를 가진 것에 대해 사과하고 교회와 교회 지도자들이 잘못하여 여자, 유대인, 집시와 다른 그리스도인에 대해 상처를 입힌 것에 대하여 용서를 구하였습니다. 그리고 기도를 통해서 여자를 소외시키고 다른 종교 전통을 경멸하며 사회의 약자들을 증오하고 언약 백성인 유대인 곧 하나님의 자녀들에게 고통을 준 사람들의 행동에 대해 회개하였습니다. 이는 많은 사람에게 충격을 줄 정도로 혁명적인 것이었습니다.

이것은 가톨릭 교회 안팎에 큰 영향을 주고 있습니다. 가톨릭 교회 자체로 보면 그들은 교회의 전통을 성경과 같이 권위 있는 것으로 믿고 있습니다. 교회의 전통에는 교회 회의의 결정이나 교황의 교서 등이 포함되어 있습니다. 십자군 전쟁, 종교 재판의 결정은 성경과 같이 잘못이 없다는 것과 교황이 집무 중에 한 말이나 행동은 절대 잘못이 없다는 것이 그들의 교리입니다. 이제 이 교리가 흔들리게 됩니다. 교회 밖으로는 가톨릭과 다른 교단과의 화해가 일어날 것이며 다른 교회도 그들의 잘못에 대해 과감하게 용서를 구할 수 있을 것입니다.

여기서 우리는 세상에 의인이 없으며 모든 사람이 죄인이라는 사실을 확인합니다. 설령 삶의 원리가 흔들린다고 해도 서로 용서를 구하고 용서함으로써 화해하고 사랑하며 사는 우리 개인과 가정, 교회와 사회가 될 수 있기를 바랍니다.

>>> 중국 선교와 북한 <<<

저는 지난 주일 저녁부터 수요일까지 루이빌 총회본부에서 열린 본 교단 세계선교부 대표자와 중국기독교협의회 대표자들의 선교 협력을 위한 회의에 참석했습니다. 우리는 중국 선교에 관심이 많습니다. 많은 사람이 선교를 위해 중국을 방문하거나 중국에서 사역하기도 합니다. 특히 중국은 북한과 접경하여 많은 탈북자들이 모이는 곳이기도 하기에 우리의 관심이 큽니다. 우리 교단인 미국 장로교회는 이미 150년 전에 중국 선교를 시작하여 크게 활약하였기에 중국이 문을 열면서부터 계속 새로운 중국 선교를 시도하며 진행하고 있었습니다.

중국에는 두 개의 교회, 곧 정부가 인정하는 3자교회와 정부가 인정하지 않는 지하교회가 있다고 들었습니다. 그런데 중국 교회를 총괄하는 중국기독교협의회에 의하면 등록된 교회와 등록되지 않은 교회가 있지만 중국에는 하나의 교회만 존재한다고 하였습니다. 현재 중국에는 13억 인구에 1만3천 개의 교회와 약

3만 개의 처소교회에 1천3백만 명의 기독교인이 있다고 합니다. 안휘 지방에는 6만 인구에 68개 교회, 3만 신도가 있다고 합니다. 공산혁명이 일어난 1949년에는 70만 기독교인이 있었는데 지난 50년 사이에 19배로 증가되었다고 합니다. 신학교는 18개가 있으며 지난 12년간 4천 명이 졸업하고 현재 2천 명의 목회자가 평균 6천 명의 교인을 돌보고 있기에 지도자 양성이 시급한 과제라고 합니다. 성경은 지난 10년간 약 2천만 권, 찬송은 1천만 권이 출판되었다고 합니다. 중국 교회는 외부의 간섭이나 영향을 배제하고 독자적으로 교회를 발전시키고 있기에 우리가 할 수 있는 일은 영어 교육, 의료 선교 이외에는 극히 제한되어 있습니다. 중국은 경제적으로도 이제 부유한 나라로 미국의 중요한 교역국입니다. 이러한 일들은 사회주의를 고수하면서도 나라가 문을 연 결과입니다.

이제 북한을 생각합니다. 북한이 중국을 모델로 하여 속히 개방하기만 한다면 지금의 재난에서 벗어날 수 있을 것이라 믿으며 북한을 위해 기도하게 됩니다. 여러분도 이 기도에 동참하실 것을 부탁드립니다.

>>> 그리운 고향 <<<

생명이 뻗어나고 아름다운 꽃이 피어나는 좋은 계절에 제게는 한국으로 돌아가신 어머님과 작별하는 아픔이 있었습니다. 어머님과 함께 지낸 짧은 7개월은 참으로 즐거운 축복의 나날이었습니다. 초등학교를 졸업하고 일찍 집을 떠나 객지 생활을 했던 저는 신학교에서 공부하는 동안 아내가 남편 없이 2년 정도 부모님을 모신 것 이외에는 맏아들이면서도 부모님을 모시고 살지 못했습니다. 이전에 어머님이 오셨을 때 미국의 여러 곳을 구경하셨기에 이번에는 주로 집에 계시기를 원하여 저도 먼 곳에 모시고 갈 생각을 하지 않았습니다. 길거리에 사람이 보이지 않고 찾아오는 사람도 없고 찾아갈 곳도 없는 조용한 집에서 어머님은 대개 홀로 지내는 시간이 많아 성경을 읽고 찬송을 부르고 기도하며 보냈습니다. 아침저녁으로 뵈면서 어머님이 집에 계시다는 것만으로도 제게는 기쁨이었지만 어머님에게는 미국이 창살 없는 감옥 같은 곳이라 좋은 곳은 못 되었습니다.

어머님에게는 눈만 감으면 고향집이 훤히 나타났습니다. 결혼 후 70년간 생활하던 터전이 그대로 있는 데다 바로 집앞에 교회가 있고 오고 가는 친구들이 얼마든지 있는 곳이니 그곳을 잊을 수가 없으셨습니다. 미국에 와서 잠시 동안 공부하던 동생부부가 한국으로 돌아갈 날만을 손꼽아 기다리신 것입니다. 분주한 생활에 쫓기느라 어머님이 고향을 잊어버릴 수 있도록 모시지 못한 것이 유감입니다. 이제 다시 여기서 모실 수 있는 기회가 오지 않을 것이라 생각하면 마음에 눈물이 맺힙니다. 새벽에 비행장에서 배웅할 때는 모르다가 집에 돌아와 비어 있는 어머님의 방을 보니 가슴이 메고 텅 비는 것을 느낍니다. 어머님을 불러 보며 주의 손에 의탁하게 됩니다.

그동안 정성으로 모신 아내와 사랑을 베풀어 주신 여러분에게 감사를 드립니다. 아울러 교회의 모든 부모님들께서 건강하시기를 기도합니다. 어머님께서 고향을 그리워하듯 우리 모두가 영원한 본향인 천국을 그리워하고 그곳에 갈 날을 기다리며 믿음을 지킬 수 있기를 바랍니다.

>>> 마스터 키이신 예수님 <<<

세상에는 약도 많고 병도 많습니다. 좋은 약이라고 해서 아무 병이나 다 고치는 것이 아닙니다. 어떤 약이라도 그것이 낫게 할 수 있는 병이 제한되어 있습니다. 얼마 전 목이 아프고 염증이 생겨 집에 있던 항생제를 사용하였더니 효과가 없었습니다. 나중에 알고 보니 그것은 다른 염증을 위한 것이었습니다. 어느 병이나 그 병에 해당하는 약이 있지만 아직 약으로 고칠 수 없는 질병도 많아 사람들을 실망하게 합니다. 더군다나 모든 병을 고치는 만병통치약이란 없습니다.

오랜만에 교회당의 열쇠를 모두 바꾸었습니다. 출입문, 사무실, 회의실, 방송실, 복사실 등 방마다 문에 다른 열쇠를 가지고 있습니다. 출입문을 여는 열쇠로 사무실이나 회의실을 열 수가 없습니다. 각각에 해당되는 열쇠가 있어야 그 방에 들어갈 수가 있습니다. 그런데 마스터 키라는 것이 있습니다. 이것은 다른 열쇠를 만드는 기본이 되는 것이며 동시에 이것으로는 모든 방을 다 열 수 있는 열쇠입니다. 이것 하나만 가지면 출입문도 사무실도 모두 열 수가 있습니다.

인간에게는 복잡한 문제가 많습니다. 무엇을 위하여 사는가 하는 삶의 목적 문제, 가족 자녀 친구 등과의 인간관계 문제, 직장 사업 및 경제 문제, 은퇴 후의 생활 문제, 구원의 확신 문제, 건강과 질병, 죽음의 문제, 범죄와 사회 문제 등은 마음을 무겁게 하고 많은 스트레스를 줍니다. 이를 풀기 위하여 여러 가지 처방이 있어서 운동을 하고 여가를 즐기며 섭생에 최선을 다합니다. 그러나 인간의 문제는 더욱 복잡해져 가고 있습니다. 예수님께서 세상에 계실 때에도 사람들은 오늘과 같은 문제를 가지고 있었습니다. 자기 의를 내세워 타인을 무시하는 사람, 질병과 귀신으로 좌절하는 사람, 소외되어 공동체에서 버림받은 사람, 돈과 관직으로 삶의 만족을 얻지 못한 사람, 불안과 공포에 시달리는 사람. 그러나 그 어떤 사람이라도 예수님을 만났을 때 인생이 새로워졌습니다. 오늘도 예수님은 모든 인생 문제의 마스터 키입니다.

>>> 새벽기도로 시작하는 풍성한 삶 <<<

인류 구원을 위한 예수 그리스도의 고난을 묵상하고 그 고난을 함께 경험하고자 사순절 기간 동안 20일 특별새벽기도회를 진행하는 가운데 많은 교우들이 참여하고 있는 것에 대해서 감사를 드립니다. 아침 일찍 일터에 나가 저녁 늦게까지 일하며 잠자는 시간이 항상 부족한 것을 느끼는 이민 생활이라 새벽기도회를 한다는 것이 무리인 것처럼 생각되기도 합니다. 그러나 평소보다 훨씬 많은 분들이 이 특별새벽기도회에 나오는 모습에서 주를 사모하고 사랑하는 마음을 발견하며 깊은 감사를 드립니다.

예수님께서도 몹시 분주한 생활을 하셨습니다. 가난한 사람, 병든 사람, 여러 종류의 사람이 밤낮없이 주변에 몰려들기에 그는 식사할 겨를도 없이 피곤한 나날을 보냈습니다. 그러면서도 그는 때로 밤을 새워 기도하고 때로는 새벽 미명에 한적한 곳으로 나가 기도하였습니다. 왜 하나님의 아들이신 그가 그렇게 기도하였을까요? 중요한 과제나 힘든 일이 있을 때에 혼자의 힘으로 하지 않고 아버지 하나님의 뜻을 찾아 그의 도우심을 구하는 것이요, 일에 묻혀 잊어버리기 쉬운 아버지와의 가까운 교제를 지속하기 위한 것입니다. 일과 마찬가지로 관계도 매우 중요한 것입니다.

다윗은 기도하며 새벽을 깨운다고 하였습니다(시 57:8). 보통은 커피를 마시며 눈을 뜨고 하루를 시작하지만 성도들은 하나님과 교제함으로써 그의 능력으로 새날을 시작합니다. 다윗은 "주의 권능의 날에 주의 백성이 거룩한 옷을 입고 즐거이 헌신하니 새벽 이슬 같은 주의 청년들이 주께 나오는도다" 라고 말합니다(시 110:3). 새벽기도는 즐거운 헌신입니다. 새벽 이슬은 생명을 가져옵니다. 청년은 생명이 약동하는 힘의 상징입니다.

하늘에서 3년 6개월간 우로가 내리지 않던 아합 시대에 엘리야가 기도하니 하늘이 열리고 우로가 내리어 나라의 생명이 새로워졌습니다. 우리 가정, 교회, 사회, 국가는 기도의 사람이 필요합니다. 매일을 주와 함께 시작하면 반드시 주의 능력과 은혜의 이슬이 풍성한 삶이 될 것입니다.

>>> 많은 세례 받을 자를 주시다 <<<

지난 주일에는 본 교회에서 19명이 믿음을 고백하고 세례를 받았고, 유아세례를 받았던 16명이 입교를 했습니다. 그리고 7명의 유아들이 유아세례를 받는 축복스런 일이 있었습니다. 온 교우들이 기뻐하였지만 누구보다 하나님께서 무척 기뻐하셨으리라고 믿습니다. 죄인 하나가 회개하고 돌아오면 하늘나라에서는 잔치가 열린다고 하는데 42명의 새로운 주의 제자가 태어났으니 얼마나 큰 잔치가 열렸겠습니까? 예수님께서 이 땅에 오시어 고난 당하며 십자가에 달려 돌아가신 것은 바로 우리의 죄를 대신하기 위함이요, 3일 만에 부활하신 것은 바로 우리를 의롭다 하고 영생을 얻게 하기 위한 것입니다.

오늘날 미국에서는 많은 사람들이 교회로 돌아오는 추세입니다. 과학이 발달하고 세상이 복잡할수록 사람들은 더욱 영적인 굶주림을 경험합니다. 갤럽의 미국 종교 상황 조사에서 응답자의 80%가 영적으로 성장하기를 원한다고 대답하였습니다. 어떤 이는 갑작스런 사고나 질병을 통하여 하나님과 가까워집니다. 열심히 살면서 자녀들을 모두 출가시키고 부부만의 빈 둥지를 느끼며 인생의 의미를 새롭게 찾기도 합니다. 결혼한 후 배우자의 영향을 받기도 하고 친구의 권유로 교회 생활을 시작하기도 합니다. 신앙인들의 모범적이고 희생적인 삶에 영향을 입는 사람도 있습니다.

이번에 세례 받은 사람의 대부분이 본 교회에서 신앙생활을 처음 시작한 분들입니다. 친구의 권유로, 텔레비전을 보다가 설교를 듣고 마음에 감동이 와서, 새 곳에서의 의미 있는 새 삶을 시작하고자 교회에 나오고 예수님을 구주로 믿게 된 것입니다. 이제 이들이 영적으로 자라기를 바랍니다. 여기에서 교회의 참 사명을 발견합니다. 다른 교회에서 이명하여 오는 교인을 영접하기도 하지만 믿지 않던 사람이 예수를 믿어 구원 얻게 하는 데 바로 교회의 존재 이유가 있습니다. 아직 믿지 않는 사람이 더 많습니다. 주변에서 전도 대상자를 발견하도록 합시다. 그리고 그들을 가슴에 품고 구원을 위해 기도합시다. 머지않아 그들도 주를 믿는 사람이 될 것입니다.

많은 세례 받을 자를 주시다

□■ 목사와 교인의 만남 ■□

>>> 공부방, 골방, 심방 <<<

오래 선 신학교에서 공부할 때 목회사는 공부방, 골방, 심방 등 세 개의 방이 있어야 한다고 배웠습니다. 공부방은 설교와 교육을 준비하는 방이요, 골방은 기도로 하나님의 뜻을 발견하고 하나님의 능력을 덧입는 곳이요, 심방은 교우들을 방문하여 그들의 사정을 알고 기도하며 인격적인 관계를 형성하는 것입니다. 이것은 한국 교회의 장점이요 자랑이기도 합니다.

예수님은 목자로서 그런 모범을 보였습니다. 그는 깊이 있는 기도로 하나님에게서 들은 것으로 복음을 전하고 사람들을 가르치며 사람들을 개인적으로 만나고 아셨습니다. 참 목자인 그는 "내 양은 내 음성을 들으며 나는 저희를 알며 저희는 나를 따른다"고 하셨습니다.

심방은 목자와 양이 개인적으로 서로 알 수 있는 좋은 기회입니다. 그러나 사회가 복잡하고 분주해지면서 유고와 요청에 의한 심방이 더 많아지게 됩니다. 담임목사가 교우들의 집에 방문하여 일일이 만나고 싶어도 주중에 교회의 여러 활동이 많이 있는 데다 유고자, 신입교우 심방을 하다 보니, 급한 일이 아니면 일반 가정 심방은 뒤로 미루어지고 오래 기다려야 합니다. 따라서 금번에 대심방을 계획하여 다른 활동을 제한하고 전체 교역자가 교구를 분담하여 구역장로, 구역장과 함께 전 교우의 가정을 일제히 방문하고 있습니다. 여러 가지 일로 분주하더라도 가정마다 문을 열고 시간을 내주시면 감사하겠습니다. 저는 3년 동안 대심방을 하면 한 가정을 한 번씩은 방문할 것이라고 기대하고 있습니다.

이번에 퍽 오랜만에 방문하는 가정이 많고 처음 가는 가정도 있습니다. 하루 저녁에 두 가정 내지 네 가정을 심방하다 보니 시간이 매우 짧지만 그 시간에 가정의 이야기를 많이 듣기를 원합니다. 전반적인 형편, 가족의 영적인 신앙 상태와 기도 제목을 알고 찬송과 기도, 성경 말씀을 통하여 가정을 하나님께 의탁하고 주의 이름으로 축복하고자 합니다. 목회자가 교우들의 사정을 알게 되면 설교나 교육, 기도가 더욱 구체적일 수가 있습니다.

>>> 하나님 사랑으로 행복한 가정 <<<

5월은 어린이날, 어머니날이 있는 가정의 날입니다. '어린이는 어른의 아버지'라는 말이 있듯이 어릴 때에 어른의 성격과 생활의 기반이 마련됩니다. 여인은 약하나 어머니는 강하다고 하듯이 갈대와 같이 약한 여인이라도 어머니가 되면 참나무와 같이 강하게 됩니다. 자녀를 위해서라면 온전히 자기를 바치는 삶을 살게 됩니다. 미국에 어린이날이 따로 없는 것은 매일을 어린이날로 삼아 그들을 돌보고 사랑하자는 것 같습니다. 미국에서는 6월에 아버지날이 있지만 한국에 그날이 따로 없는 것은 아마도 매일이 아버지날이듯 권위와 횡포를 부리고 있는 것인지도 모릅니다. 5월에 우리 모두의 가정이 행복하고 모든 가족이 강건하기를 바랍니다.

가족 한 사람은 참으로 중요합니다. 한 사람이 잘 되면 가족 모두가 기쁨을 갖게 되지만 한 사람이 잘못되면 가족 모두에게 슬픔을 줍니다.

　가문이 좋고 부요하며 존중받는 지위를 가진 어떤 사람이 아름다운 가정을 이루고 아들 세 명을 낳아 사람들의 부러움을 한 몸에 받았습니다. 그러나 그를 사모하고 노리던 덫에 넘어가 외도를 시작하면서 가정에 폭풍을 몰고 왔습니다. 아내를 학대하여 집을 나가게 하고 새 여인이 들어오니 자녀들은 보금자리를 잃은 새와 같이 되었습니다. 견디지 못한 본부인이 스스로 인생을 청산하자 십대의 자녀들은 거리를 방황하며 아버지에 대한 복수심을 다른 사람에게 쏟고 폭력을 일삼는 전과자가 되었습니다. 아버지의 모든 재산은 없어지고 결국 그는 아무도 돌보는 이 없는 행려병자로 삶을 끝냈습니다.

　분노와 원한이 가득한 이 아들을 하나님께서 만나 주셨습니다. 예수 그리스도의 십자가에 나타난 하나님의 사랑은 그의 마음을 녹이고 새롭게 하였습니다. 그는 복음으로 범죄와 마약을 추방하자고 외치며 돌봐 주는 이 없는 재소자와 출소자를 위하여 삶을 헌신하였습니다. 바로 이 사람이 박범석 선교사입니다. 내 부모는 나를 버렸으나 하나님은 나를 영접하십니다. 하나님은 좋은 아버지입니다. 하나님의 사랑으로 행복한 가정이 될 수 있습니다.

>>> 천국행 **탑승권** <<<

메모리얼 데이 연휴를 지내면서 미국에서는 여름 휴가철이 시작됩니다. 이 연휴를 맞이하여 우리 교회가 오랜만에 전 교인 가족 수양회를 가지게 된 것을 감사합니다. 많은 사람들은 이런 연휴에는 여행을 합니다. 저는 지난 주 뉴욕에 갔다가 토요일 밤 마지막 비행기로 돌아오게 되어 있었는데, 비행기가 결항하는 바람에 다음 날 아침 예배에 맞추어 오느라고 혼란을 겪었습니다. 그러나 하나님의 은혜로 예배 시간 전에 올 수 있어서 감사했습니다.

어제까지 3일간 우리 교회에서 본 교단 한인교회 선교협력위원회가 모였습니다. 전국의 지역 대표자와 남녀선교회 대표, 교단 대표자들이 모여 효율적인 선교 방향과 협력 및 참여를 위해 의논하려고 모인 중요한 회의였습니다. 이 회의에 참여하기 위하여 로스앤젤레스에서 오신 목사님 한 분이 큰 고생을 하였습니다. 금요일 아침에 출발하게 된 비행기가 결항이 되었습니다.

다음 비행기를 타려는데 자리가 없어 저녁 6시 반에 떠나는 비행기의 탑승권을 받았습니다. 그리고 시간마다 떠나는 비행기에 행여 자리가 있을까 하여 대기상태(스탠드 바이)로 기다렸습니다. 하루 종일 기다렸지만 스탠드 바이 자리가 나지를 않았습니다. 12시간을 기다린 후에 원래 탑승권을 가지고 있던 그 비행기를 탔습니다. 그러나 비행기가 늦게 출발하여 시카고에는 토요일 아침에 도착하게 되었습니다. 이러한 일은 여행하면서 흔히 있는 일이자 또한 우리가 인내해야 하는 일입니다.

사람이 아무리 많아도 탑승권이 있으면 타는 것이 보장됩니다. 바로 천국행이 그러합니다. 예수 그리스도를 믿는 사람은 천국행 탑승권을 가진 것입니다. 누구든지 예수를 구주로 믿기만 하면 그의 지난날이 어떠하든지 상관없이 주의 백성으로서 천국에 갈 수 있습니다. 스탠드 바이인 경우에 자리가 생기는 것은 특별 은혜입니다. 이스라엘 사람들이 하나님을 거절하므로 이방인에게 복음의 문이 열린 것은 은혜입니다. 우리가 주를 믿어 구원을 얻게 된 것은 하나님의 놀라우신 은혜입니다. 오직 감사할 뿐입니다.

>>> 우리 모두 주 안에서 한가정 <<<

"**우**리는 한가족" 이라는 주제로 약 20년 만에 처음 가진 지난 주말의 전교인 수양회는 한마디로 은혜와 성공이었습니다. 약 5개월간 전도성장위원회와 관계된 많은 사람들이 기도하며 준비하여 프로그램을 알차게 마련하였습니다. 네 분 강사의 메시지는 참으로 은혜로웠습니다. 수양회 장소는 교회에서 그리 멀지 않은 1시간 15분 거리에 있는 데다 시설, 숙소, 음식, 환경 등도 만족스러웠습니다. 넓은 예배실 공간과 강단은 참으로 마음에 들었습니다.

대개의 프로그램은 유초등부, 중고등부, 청년, 성인으로 구분되었지만 개회예배와 폐회예배, 그 전후의 찬양과 경배에는 모두가 함께 참여하였습니다. 한영 찬양팀은 약 2개월간 기도하고 심지어 금식까지 하며 열심히 준비하였기에 이중 언어로 찬양하였습니다. 남녀노소 모두 한국어, 영어 할 것 없이 많은 은혜를 받았습니다. 찬양을 통하여 성인과 자녀들이 한가족처럼 함께 찬양하고 예배할 수 있음을 보여 주었습니다. 약 400명이 한 식당에서 식사를 하고 20명 이상이 들어가는 공동 숙소에서 함께 이틀을 지내면서 사랑을 나누었습니다. 이를 통해 서로 형제요 가족임을 더욱 확인하게 되었습니다.

여러 가지 사정으로 수양회에 가지 못한 분들이 많은 것이 유감이었으나 본 교회당에서의 주일예배에 많은 분들이 참여한 것이 감사하였습니다. 언제나 주일을 귀하게 지키며 예배하는 분들을 하나님이 기뻐하며 복 주십니다. 수양회에도, 교회 예배에도 참석하지 못한 분들이 또한 많았습니다. 연휴의 여행 계획과 함께 졸업철이 되어 여러 사람이 졸업을 하였습니다. 미국에서 주일에 졸업식을 하는 것은 신앙에 큰 장애를 주는 일이므로 앞으로 시정이 되기를 바라고 기도해야겠습니다.

수양회에 참석하였든지 못하였든지 우리 한미 교우는 모두 주 안에서 하나요, 한가족입니다. 예수의 피로 구원받아 한 성령으로 중생하고 한 믿음을 가지고 한 하나님을 예배하며 한 교회, 한가족으로 거룩한 백성이 된 것을 감사합니다.

우리 모두 주 안에서 한가정

□■ 목사와 교인의 만남 ■□

>>> 남북 정상회담에서 바라는 것 <<<

6·25 한국전쟁이 일어난 지 50년이 되는 금년, 6월 13일부터 15일까지 최초의 남북 정상회담이 평양에서 열리게 됨을 환영하며 좋은 결과가 있기를 우리 모두는 기도하고 있습니다. 남한은 남한대로 민주주의 국가로 발전하고 있으며, 북한은 북한대로 공산주의의 이념을 지켜 나간다고 하는 상황에서 이 정상회담이 어떤 의미가 있는 것일까요?

남북의 500만 이산가족에게는 가족이 상봉하고 함께 살 수 있는 것이 꿈 중의 꿈입니다. 이 회담을 통해 이것이 이루어지는 계기가 마련되기를 바랍니다. 국제화 시대에 분리된 남북으로서는 인구와 힘에 있어 경쟁력이 너무나 약합니다. 만일 남북이 통일되어 전체 7천만 명이 되면 독일과 비슷한 위치에서 지구촌 공동체에 더욱 크게 기여할 수 있을 것입니다. 남북한에는 약 200만 명의 현역 군인이 서로 대치하고 있으며 이를 위해 엄청난 국가 예산을 투입하고 있습니다. 이런 자원을 평화와 산업에 전용한다면 남북 모두가 크게 잘 살 수 있을 것입니다. 두 나라의 적대관계는 남북의 정치인에게만 아니라 온 국민에게 항상 위협과 불안, 공포를 주고 있습니다. 이제 미움과 원한에서 벗어나 서로 이해하며 용납하는 참된 평화와 자유의 분위기가 필요합니다. 동족의 분단 55년은 고난과 훈련 기간으로 충분했다고 봅니다.

성공적인 정상회담을 위해서는 남북이 적대관계에서 서로 살상하고 미워하였던 것을 가슴 아파하며 눈물로 회개하는 것이 필요합니다. 남북관계에 관심이 없었던 것도 회개해야 할 일입니다. 서로가 친밀하게 될 것을 진심으로 소원하며 화합의 책임을 느껴야 하겠습니다. 분단된 형편을 기정사실로 받아들이고 그것에 만족하였던 것도 시정되어야 합니다.

정상회담에서 기대하는 것은 급속한 통일보다는 적대관계가 완화되고 서로를 인정하며 평화관계가 이루어져서, 흩어진 가족만이 아니라 누구든지 자유롭게 여행하며 왕래할 수 있게 되는 것입니다. 서로 받아주며 자주 접촉하는 가운데 더욱 가까워지고 화합의 길이 열릴 것입니다.

남북 정상회담에서 바라는 것

>>> 화해의 남북 정상회담 <<<

지난 6월 13-15일의 남북 정상회담은 기대하던 것보다 훨씬 큰 성과를 가져 왔으며, 이로 인해 모두가 함께 기뻐하고 감사합니다. 전쟁 후 50년간 세계에서 제일 심한 적대감으로 대치하고 있던 두 원수의 나라 대표가 서로 만나 악수를 하고 회담하며 공동선언문을 발표하였다는 것은 큰 성공입니다.

돌아보면 지난 50년간 북한은 남한에게 많은 해를 끼쳤습니다. 남침으로 금수강산을 피로 물들였고, 휴전은 하였지만 기회 있는 대로 재침을 계획하고 살상과 혼란을 야기한 큰 원수였습니다. 원수의 나라를 찾는 것은 두려움과 모험이요 동시에 사랑과 희생의 각오입니다. 김대중 대통령은 이를 실행하여 김정일 국방위원장을 놀라게 하였습니다.

이번 정상회담은 김정일의 이미지에 전적인 변화를 주었습니다. 그는 공식석상에 나타나지 않는 미스테리 은둔자요, 한 줄 이상의 말도 하지 않는 독재 테러의 원흉으로 알려져 있었습니다. 이런 김정일이 유례없이 공항에 나와 비행기에서 내리는 김대중 대통령을 반갑게 맞았습니다. 뿐만 아니라 그의 자연스럽고 여유 있는, 자유로우면서도 예절 있는 언어와 태도, 나란히 리무진을 타고 회담장으로 떠난 것에서부터 회담 중 나타난 그의 모습은 마음씨 좋은 아저씨와 같은 인상이어서 우리 모두에게 충격적인 놀라움을 주었습니다. 두 사람의 만남 어디에서도 두 나라가 서로 적대하고 있는 원수라는 흔적을 찾아 볼 수 없었습니다. 분단의 담이 삽시간에 무너지고 원한의 얼음이 당장 녹아 내리는 것을 마음에 느꼈습니다. 그동안 북한의 말과 행동은 거짓과 위장의 연속이었지만 이번 회담에 나타난 것은 진실이기를 믿고 싶습니다. 선언문 그대로가 이루어져야 하겠습니다.

한국의 남북이 화해하고 용서할 수 있다면 이 세상에서 화해되지 못할 것은 없다고 생각합니다. 하나님은 그를 대적하는 인간을 찾아 자기 희생으로 화해를 실현하였습니다. 정상회담을 보면서 우리 개인과 공동체를 분리시키고 있는 모든 오해, 교만, 증오의 담이 무너지기를 바라고 있습니다.

□■ 목사와 교인의 만남 ■□

>>> 대심방을 마치면서 <<<

금 년 3월 27일에 시작한 교우 가정 대심방이 6월 21일로 모두 끝났습니다. 목회자가 교우들을 위하여 기도하며 사역하기 위해서는 그들의 사정을 아는 것이 필수적입니다만, 교인의 숫자가 많을 때는 목회자가 일일이 개인적인 만남을 가지는 것이 어렵습니다. 그래서 이번에 처음으로 교역자 4명이 구역을 나누어 일제히 심방을 하였습니다. 심방을 끝내면서 구역담당 장로와 구역장들이 심방을 평가하는 기회를 가졌습니다. 교역자로서 구역 담당 장로, 구역장과 함께 성도들의 가정을 찾아 이야기를 들으며 가정을 위하여 기도하는 것은 기쁜 일이었으며, 평가에 응답한 심방 담당자는 대개가 만족한다고 하였습니다.

심방 평가에 참여한 23개 구역의 심방 결과를 보면 총 277개 가정 가운데 171개 가정이 심방을 받았습니다. 전체 가정을 100% 심방한 구역은 3, 9, 13구역이었고, 6개 구역은 75% 이상을 방문하였습니다. 12개 가정 가운데 1개 가정만을 방문한 구역도 있습니다. 심방에서 빠진 가정들은 심방을 원하지 않거나 또는 시간이 맞지 않거나, 심방의 필요를 느끼지 않았습니다. 하루 저녁 평균 세 가정 심방, 4-6월의 심방 기간, 목사 장로 구역장 권사의 심방팀과 그들의 역할에 대해서는 90% 전후로 적당하였다고 하였으며, 90% 이상이 이런 대심방은 매년 꼭 필요하다고 응답하였습니다.

반세기 이상 원수로 적대시하던 남북 정상의 만남도 일종의 축제로 끝났는데 성도와 성도의 만남, 더군다나 목자가 양을 돌보는 심정으로 교역자가 교우와 만나 사랑을 나누며 하나님께 예배하고 기도하는 것은 참으로 복되고 아름다운 일이었습니다. 심방을 허락하지 않은 가정에는 특별한 사정이 있는 줄로 압니다만 항상 하나님의 은혜와 복이 함께하기를 바라며 교역자는 언제나 심방할 수 있다는 것을 알려드립니다. 이번 심방이 은혜롭게 진행되도록 기도로 준비하며 가정에 연락하고 인도한 구역장님들과 구역 담당 장로님들, 그리고 권사님들의 헌신에 깊은 감사를 드립니다.

대심방을 마치면서

>>> 새로워지는 정원 <<<

예배당 정문 앞의 정원 일부가 아름다워져 가고 있습니다. 몇 분이 관심을 가지고 잡초를 제거하고 꽃을 심고 화분을 매달고 잔디 씨를 뿌렸습니다. 한 선교회가 교회 간판이 있는 부분을 새롭게 단장하고 있습니다. 잡초로 둘러싸여 있던 것이 새로운 모습으로 나타나고 있습니다. 정원 관리 회사가 매주 잔디를 깎습니다. 그러나 작은 나무들 사이에 있는 잡초는 제거하지 못해서 미관을 해치고 있었는데 일부이지만 잘 정리가 되고 있음을 감사하게 생각합니다. 정원을 여러 부분으로 나누어 관리 책임 선교회의 팻말을 붙여 두고 있습니다만 모두 분주한 가운데 제대로 돌보지 못하고 있는 형편이었는데 이번에 여러분이 자원하여 봉사하신 것을 감사합니다. 선교회에서 7월 어느 날을 정하여 교회당과 정원의 대청소 및 일제 관리를 하겠다고 하니 더욱 기대가 됩니다.

교회가 있는 아이타스카는 미국의 다른 어느 지역에 못지 않게 아름다운 곳입니다. 개인 가정이나 회사들이 집과 정원들을 아름답게 가꾸고 있으며 그것을 어떻게 관리하는가 하는 것이 그 집이나 지역의 수준을 말하고 있습니다. 우리 교회가 위치한 곳은 아이타스카의 관문이라고 할 수 있습니다. 출퇴근 시에 많은 사람이 교회 앞길을 이용하기에 시의 관리들은 우리 교회가 정원을 아름답게 해주기를 기대하고 있습니다. 교육관을 건축할 때는 정원 조경을 조건으로 제시하기도 하였습니다.

우리 마음은 정원과 같습니다. 주 하나님께서는 여러 가지 아름다운 꽃들이 피어나고 새들이 노래하는 곳에서 우리와 교제하며 거닐기를 좋아하십니다. 이 정원에 잡초가 많이 우거져서는 안 됩니다. 옛날 한국 전도지에 '박군의 심정' 이란 것이 있었습니다. 교만, 욕심, 미움, 이기심, 질투 등이 마음을 꽉 채우고 있었으나 성령의 도움으로 회개하고 그리스도를 모심으로 마음이 청소되고 새로워지는 내용이었습니다. 하나님의 사랑과 말씀이 뿌리를 내림으로써 향기로운 꽃들이 피고 열매가 있는 여러분의 마음이 되기를 바랍니다.

>>> 한정된 우리 육신의 삶 <<<

올 해 반 년을 지내면서 우리가 사랑하던 교우 네 명을 먼저 주의 나라로 보내며 얼마 동안 보지 못하는 이별의 슬픔을 경험하게 되었습니다. 지난 연말연시에 고 조형규 집사로 시작하여 김수정 권사, 김종길 장로, 그리고 지난 목요일에는 유시범 집사께서 주의 품으로 갔습니다. 네 분은 모두 암으로 고생하며 투병하였습니다. 요즘은 나이에 상관없이 사람이 죽었다고 하면 그 원인은 대부분 암입니다. 암은 종류, 발견 시기에 따라 치료가 가능하고 치료 후에 건강하게 활동하는 사람도 있지만, 아직 정복하지 못한 무서운 질병입니다. 유전자공학이 발달해서 유전자와 관련되는 많은 질병을 미리 진단하고 치료할 수 있는 때가 온다고 하니 기대를 합니다만 아직 암 앞에서는 현대 의학도 무력함을 나타내고 있습니다.

예수님께서는 당시의 불치병을 사랑의 말씀 한마디로 깨끗하게 치료하여 주셨습니다. 그러나 저는 주의 종이라고 하면서 병자, 가족과 함께 간절히 기도하여도 회복되지 못하는 것을 보면서 크게 무력감과 한계를 느낍니다.

암은 대개 고통이 많습니다. 진통제로 조절하기가 어려울 정도로 심한 고통을 가집니다. 정신은 맑기에 아픔을 견디기가 더욱 어렵습니다. 암을 앓으면서도 통증이 없는 것은 다행한 일입니다. 암으로 투병하는 사람들의 모습을 보면 공통점이 있습니다. 치료에 도움이 된다고 하는 것을 철저하게 따릅니다. 치료를 받고 약과 음식을 먹으며 섭생을 잘합니다. 투병하는 동안 생명의 존귀함을 느낍니다. 이전의 건강할 때와는 달리 하루 한 시간의 생명이 참으로 소중하고 귀하게 느껴집니다. 생명의 주인이 하나님인 것을 알고 하나님께 더욱 가까이하며 의지하는 마음을 가집니다.

암이 아니더라도 우리는 언젠가 세상을 떠납니다. 우리는 그 날을 모르지만 하나님 앞에서는 이미 날짜가 정해져 있습니다. 육체가 건강할 때 영생의 조건인 예수 그리스도를 믿으며 하루하루를 하나님이 기뻐하도록 그와 가까이 살아가기를 바랍니다.

한정된 우리 육신의 삶

>>> 제4차 **한인 세계선교대회**에 기대하는 것
<<<

1988년 휘튼 대학에서 한인 세계선교대회가 처음 모인 이후 제4회 대회가 내일부터 시작됩니다. 현재 150개 국가에서 사역하는 8,200명의 한인 선교사 중 약 1천 명과 목회자, 평신도, 영어 세대, 강사 등 약 4천 명이 참석할 것으로 예상하고 있습니다. 이 대회 전 4일 동안은 "시카고 선교 2000"이라는 주제로 500명의 선교사가 함께 모여 대회를 가지고 있습니다.

선교 현장에서 열심히 일하던 선교사들이 서로 만나 그들의 사역 이야기를 나누고 함께 기도하며 격려하고 성령 안에서 하나 되는 것은 중요한 일입니다. 한국 교회의 선교를 회고하고 선교 현황을 살피며 미래를 향한 선교 방향을 모색하고, 특히 선교 전문가를 통하여 새 천년의 선교 신학을 정립하는 것은 매우 큰 일이라고 봅니다. 아울러 미국 내 한인 교회 목회자, 평신도, 지도자, 선교 담당자들은 이들 선교사들을 통하여 도전을 받으며 영혼을 사랑하는 불타는 마음으로 온 세계를 새롭게 가슴에 안고 주님의 마지막 지상명령을 자기 것으로 만드는 좋은 기회가 될 것입니다.

시카고 선교대회 첫날 '새 천년의 한인 선교' 라는 주제 강연을 한 세계한인선교사회 회장인 김규식 필리핀 선교사는 한국 교회의 풍부한 선교 잠재력과 날로 확대되는 선교 현장을 보며, 새로운 시대에 하나님께서 한민족을 사용하실 것이라고 소망하였습니다. 그는 자신의 22년간의 사역 경험에 근거하여 회개, 화해, 화합의 선교 환경을 조성하는 것이 급선무라고 하였습니다. 선교사들은 자기 사역에만 골몰하여 형제를 의식하지 못하고 오히려 갈등과 경쟁의 아픔을 가졌던 것을 회개하고, 형제의 귀중함과 협력의 필요성을 인식하고 화해하고 화합해야 한다고 강조했습니다. 선교에는 선교사를 보내는 교회나 기관, 가는 선교사, 선교사를 받는 사람들이 하나가 되어야 하지만 사람만으로는 항상 부족합니다. 사도행전에 나타난 것처럼 선교에 관련된 모든 사람에게 성령이 충만할 때만 하나님께서 원하는 구원 역사가 일어날 것입니다. 이번 선교대회에 성령이 충만하기를 기도합니다.

제4차 한인 세계선교대회에 기대하는 것

>>> 새로워지는 선교의 마음 <<<

지난 주간 시카고는 선교의 열의로 뜨거웠습니다. 휘튼 대학에서는 선교사, 교역자, 평신도, 한인 2세를 합쳐 약 3,300명 정도가 모여 "새 천년 새 비전 새 선교"라는 주제로 제4차 한인 세계선교대회를 가졌습니다. 이를 통해 여러 한인 교회와 한인 선교사가 세계 복음화의 주역이 될 것을 다짐하였습니다. 우리 교회의 많은 자원봉사자들이 대회를 도울 수 있었던 것은 감사한 일이었습니다. 특히 선교사들의 건강 진단을 위하여 여러 성도들께서 협력하였습니다.

우리 교회에서는 이 선교대회의 넘치는 열기와 축복을 나누어 가지기 위하여 세계적인 강사와 선교사를 초청하여 선교 집회를 가졌습니다. 21세기 가장 큰 선교 대상 지역은 아시아가 될 것이고, 선교사가 나오는 지역도 아시아가 될 것이기에 인도와 중국 선교 전문가 2명과 50년 이상을 사업가로서 선교에 헌신한 평신도 선교 지도자를 초청하였습니다. 그리고 브라질, 온

두라스, 일본, 서아프리카, 모리타니아, 터키, 뉴질랜드, 싱가포르에서 사역하는 선교사들이 각자의 사역을 보고하는 시간도 가졌습니다. 세계를 향해 시야를 넓히고 세계를 가슴에 품으며 사명을 다짐하는 시간이었고, 주님께 삶을 헌신하는 것이 무엇인지 새롭게 발견하게 되었습니다. 참석한 분들은 모두 유익을 얻었습니다만 유감스럽게도 참석하지 못한 분들이 많았습니다.

선교는 무엇입니까? 선교는 타문화권에 나아가 그리스도의 복음을 전하는 것입니다. 선교는 모든 족속을 제자 삼으라는 주님의 명령에 순종하는 것입니다. 좋은 선교 이론이 있어도 순종하지 않으면 선교가 아닙니다. 선교는 한때 정복을 의미했습니다. 복음 이전의 모든 것은 야만과 미신으로 보고 기독교 문화로 정복하다 보니 서로 대적하고 갈등하였습니다. 그러나 선교는 동화하고 하나가 되는 것입니다. 혼합의 위험은 있지만 지역민과 함께 살면서 그들을 이해하고 용납하며 그리스도의 사랑을 실천함으로써 그들을 주님께로 인도하는 것입니다. 선교는 예수 그리스도의 유일성 곧 세상에 구원 얻을 다른 이름이 없음을 전하여 사람들이 돌아오도록 하여서 예수님을 믿게 하는 것입니다.

>>> 캠프 프라이드 <<<

지난 7월 24일에서 28일까지 우리 교회에서는 캠프 프라이드라는 입양자 프로그램이 있었습니다. 한국에서 난 아이들을 입양한 미국의 부모들이 자녀들에게 그들의 뿌리인 한국을 이해하도록 한국어와 한국 문화를 가르치는 것입니다. 주로 백인 부모 집에서 영어를 말하며 미국에서 살고 있지만 검은 머리, 노랗고 넓적한 얼굴이라는 공통점이 있는 약 150명의 아이들이 참여하여 동질감을 발견하였습니다. 어떤 아이는 끝내기가 싫어서 계속 있고 싶어하고, 어떤 아이들은 이 캠프 프라이드에서 교육을 받고 자라서 이제 동생들을 돌보기도 합니다. 캠프에 참가한 아이들 가운데는 두세 살의 어린아이들도 있어서 한국에서 계속 미국으로 입양되어 오는 것을 발견하게 됩니다.

입양 프로그램은 한국전쟁으로 생긴 많은 고아와 혼혈아들을 돕기 위해 여러 민간단체에 의해 시작되었습니다. 그 후에는 극빈 가정, 파탄 가정의 자녀들, 버려진 아이, 미혼모의 자녀들이 입양 대상이 되었습니다. 1980년대에 이민 확대 및 민간 외교라는 이름으로 더욱 많은 한국의 자녀들이 미국으로 입양되고, 한국은 고아 수출국이 되었습니다. 미국인에게는 한국인 자녀가 인기가 좋습니다. 양순하고 똑똑하게 잘 자라기 때문입니다. 아이들로서는 미국의 가정에 와서 양부모의 보살핌 속에서 교육받고 자라나니 참으로 다행스러운 일이지만 동시에 많은 아이들에게는 아픔과 상처가 있습니다. 일단 부모에게서 버림받았다는 사실 때문입니다. 어떤 아이는 양부모의 주선으로 생부모를 만나기도 하지만 마음속에 있는 고통은 지울 수가 없습니다.

사람은 자기가 낳은 자식이라도 버릴 수 있습니다. 여인은 그 젖 먹는 자식을 잊을 수가 있지만, 하나님은 그 백성을 잊지 않고 손바닥에 새겨 두었다고 말씀합니다(사 49:15). 다윗은 내 부모는 나를 버렸으나 여호와는 나를 영접하였다고 고백합니다(시 27:10). 하나님은 우리를 가슴에 품고 손바닥에 새깁니다. 결코 버리는 일이 없는 참 아버지입니다.

>>> 샴푸 플러스와 나 <<<

사람의 머리 모양이 그의 인상을 많이 좌우하기에 사람들은 머리를 잘 손질합니다. 저는 머리숱이 많고 머릿결이 빳빳하여 손질하는 데 신경이 꽤 쓰입니다. 머리를 감고 말려 두면 머리가 하늘로 치솟아 오르기에 오랫동안 포마드를 발랐습니다. 몇 년 전 헤어 스프레이를 알고 난 뒤에는 머리를 감은 후에 헤어 드라이어로 스타일을 만들고 편리하게 스프레이를 사용합니다. 머릿결이 강하기에 한 번 스타일을 만들어 두면 그 모양이 잘 유지되는 점은 있지만 다른 사람의 머릿결이 부드러운 것을 보면 부러운 마음이 들었습니다. 그런데 머리 감는 샴푸 중에 컨디셔너가 같이 들어 있는 것이 있어서 사용해 보았더니 머릿결이 아주 부드러워졌습니다. 머리 손질하는 것이 많이 쉬워졌습니다. 1년 이상 샴푸 플러스 컨디셔너를 사용하였기 때문에 이제는 제 머릿결이 부드러워졌을 것이라고 생각되었습니다. 그러던 어느 날 샴푸 플러스가 떨어져서 일반 샴푸를 사용하였더니 놀랍게도 제 머릿결은 이전의 **빳빳한** 상태 그대로였습니다. 하나도 달라진 것이 없었습니다. 깜짝 놀랐지만 바로 이것이 제 자신의 모습인 것을 또한 새롭게 발견하였습니다.

예수 그리스도의 은혜로 구원받고 성령의 도우심으로 감격적인 신앙생활을 하다가 목사까지 되었기에 저는 제가 변하여 온전히 새사람이 된 줄로 알았습니다. 그러나 제 속을 들여다보니 아직도 고집, 교만, 욕심, 거짓 등의 죄성이 가득한 것을 발견하고는 놀라고 실망하였습니다. 어떤 때는 참으로 주께서 기뻐하시는 주의 종이라고 생각되지만 어떤 때는 생각과 행동이 믿지 않는 사람과 다를 것이 없다는 것을 느낍니다. 차이점이 샴푸 플러스라는 것을 알았습니다. 예수님의 피로 구원 얻고 모든 죄를 용서받아 새사람이 되었지만 성령으로 충만하지 않으면 나의 옛사람이 계속 나타나는 것을 봅니다. 내가 주 안에, 주께서 내 안에 계셔서 주와 내가 하나 될 때만 주께서 원하시는 인격이 이루어짐을 알게 됩니다.

158

>>> 다시 만나는 기쁨 <<<

조국 광복 55주년이 되는 지난 8월 15일에는 그동안 남북으로 갈라져 있던 가족 200명이 서울과 평양에서 반세기만에 서로 만나는 일이 있었습니다. 이 만남에는 서로 부둥켜 안고 목놓아 우는 감격이 있었습니다. 비행기로 50분이 걸리지 않는 가까운 거리면서도 그렇게 멀리 있었던 것입니다. 꽃다운 나이에 헤어지고는 할아버지 할머니가 되어 만나게 된 것입니다. 한국에서만 아니라 만남의 장면을 보는 모든 사람들은 함께 감격의 눈물을 흘렸습니다. 사상과 이념, 체제가 다르지만 혈육의 정과 사랑을 끊을 수는 없는 것입니다. 오랜만에 만나는 것이 감격스러워 기쁨의 눈물을 흘렸지만 며칠 후에 다시 헤어져야 하기에 새로이 가슴 아픈 눈물이기도 했습니다. 다시는 헤어지지 말고 함께 살고 싶지만 다시 만날 기약이 없는 이별이었습니다. 750만 이산 가족 모두가 자유롭게 서로 만나고, 미국과 해외에 있는 실향민에게도 만남의 기회가 오기를 간절히 바랍니다.

우리 인간은 오랫동안 하나님과 헤어져서 살았습니다. 아담 이후 온 인류는 하나님을 떠나 있었습니다. 하나님은 우리 사람을 만나기를 원하여 선지자, 제사장 같은 중재자를 보냈습니다. 결국은 아들 예수님이 이 땅에 우리를 찾아오셨습니다. 우리가 돌이켜 하나님께로 나아가 그분을 만나는 것은 너무나 기쁜 일이라 하늘나라에서는 잔치가 열립니다. 집을 나갔던 탕자가 돌아올 때 아버지는 맨발로 뛰어나가 그를 맞이하고 큰 잔치를 배설하였습니다. 50년의 분단된 세월로 눈물의 바다를 이루었다면 평생동안 하나님을 떠나 있다가 상봉하는 즐거움은 얼마나 클지 상상해 봅시다.

주일예배는 우리가 새롭게 하나님을 만나는 잔치입니다. 기쁨과 감격과 사랑이 있는 것입니다. 하나님 안에 사는 자들은 다시는 헤어질 염려가 없습니다. 하나님은 우리를 버리지 않습니다. 주님은 영원히 우리와 함께하십니다. 천국은 이별 없이 기쁨으로 주와 함께 영원을 사는 축복입니다. 우리 모두는 이 땅에서도 사랑을 나누지만 주의 나라에서 영원히 함께 살 수 있기를 소망합니다.

다시 만나는 기쁨

□■ 목사와 교인의 만남 ■□

>>> 이한탁 씨 구명운동에 협조합시다 <<<

지금 미국과 한국에서는 방화살인죄로 종신형을 선고받고 펜실베이니아 교도소에서 10년간 복역 중에 있는 교포 이한탁 씨의 구명운동이 전개되고 있습니다. 이씨는 한국에서 철도고등학교, 연세대학교를 졸업하고 용산공업고등학교 교사로 있다가 1978년 뉴욕으로 이민하여 맨해튼에서 의류상을 경영하였습니다. 우울증에 시달리는 20세의 딸 지연이를 위하여 딸을 데리고 1989년 7월 29일 펜실베이니아에 있는 기도원을 찾아가 안수기도를 받게 했습니다. 그리고 피곤하여 잠이 들었다가 연기 냄새에 깨었을 때 오래된 목조 집에 불이 붙은 것을 알았지만 딸을 구하지 못하여 그 딸을 불에 잃게 되었습니다. 그는 64갤론의 휘발유를 방에 뿌리고 방화하여 딸을 죽였다는 판결을 받았습니다. 화재 전문가들의 조사 결과 휘발유를 뿌려 방화한 증거가 없었고 화재 원인은 천장의 누전으로 나타났으며 화학 검사, 부검 결과에서도 그가 딸을 죽였다는 증거를 찾지 못하였습니다. 그러나 변호사는 검찰 편이 되고 검찰과 14명의 배심원들은 일방적으로 사건을 진전시켜 1990년 9월 졸속 재판으로 처리하였다고 합니다.

이씨는 자기의 결백과 미국법의 정의를 믿었으나 미국에 대한 꿈과 믿음은 깨어지고 자신에게는 아무런 힘이 없는 것을 알았습니다. 그의 재판에는 인종 편견과 인권 유린의 증거가 많이 나타났습니다. 변호사가 다시 선임되고 2심, 3심이 있었으나 원심을 깨지 못하였습니다. 그러던 중 지난 7월 4일 미국독립기념일에 자유의 메달을 수상하기 위하여 필라델피아를 방문한 김대중 대통령이 공정한 재심 청구의 친서를 주지사에게 전달하여 이씨 구명운동이 새롭게 일어나고 있습니다. 억울한 누명을 벗고 밝은 빛을 볼 수 있는 날이 속히 올 수 있도록 우리는 함께 힘을 모아야 하겠습니다.

이는 단순히 이씨의 일이 아니라 우리 누구에게나 일어날 수 있는 일입니다. 오늘 저녁 제일연합감리교회에서 모이는 촛불 기도회는 정의의 하나님이 일하시는 계기가 될 것입니다. 또한 공정한 재심을 위한 서명과 재정 후원도 크게 도움이 될 것입니다. 여러분의 협조를 구합니다.

이한탁 씨 구명운동에 협조합시다

>>> 노동절과 자부심 <<<

내일은 미국의 노동절입니다. 우리는 이 날을 단순한 공휴일로 생각하고 하던 일을 놓고 하루를 쉬는 것으로 만족하기도 합니다. 그러나 뉴욕 중앙노동조합 총무 매튜 매과이어의 제창으로 1882년 9월 5일 처음으로 뉴욕에서 노동절을 지켰을 때는 그 의미가 컸습니다. 미국의 힘, 번영, 안녕은 바로 노동자들이 창출한다는 것을 인식하고, 일반 국민에게 산업과 노동조직의 힘과 정신을 알리기 위하여 행진하고 연설하고 노동자와 가족들을 위로하는 순서를 가졌습니다. 노동자들은 자신들의 헌신으로 경제, 정치, 민주주의의 이상 실현이라고 할 수 있는 최고 수준의 삶과 세계 최대의 생산에 이르게 된 것에 자부심을 가집니다. 역사상 실업률이 가장 낮은 지금 미국에는 국민의 약 절반인 1억 2천 7백만 명이 직업을 가지고 열심히 일하고 있습니다. 어느 분야에서 일을 하든 모두가 인류 공영에 기여하고 있는 것이기에 일하는 모든 사람에게 경의를 표하며 감사와 찬사를 드립니다.

여름에는 휴가가 많습니다. 이 나라는 8월 말이 되어 학교가 개학을 하면서 휴가철이 끝나고 모두 일터로 돌아가 새롭게 열심히 일을 시작합니다. 학생들은 새 학교, 새 학년에서 새로운 비전을 가지고 학업을 시작하며, 일하는 사람들은 또다시 자신과 인류를 위하여 헌신하게 됩니다. 그러기에 노동절은 주어진 일에 다시 전념하라는 신호라고 생각되기도 합니다.

여름 동안에 교회에서는 수양회와 단기 선교 등 여러 가지 활동이 있지만 동시에 신앙이 해이해지는 경향도 있습니다. 노동자들이 국가 발전에 기여한 것으로 자부심을 가지고 있듯이 성도들은 성숙한 믿음으로 가정과 사회에 끼치는 영향으로 자부심을 가질 수 있어야 하겠습니다. 성숙한 신앙은 신실한 노력에 달렸습니다. 새로운 마음으로 열심히 모여 예배와 말씀 공부, 기도에 힘쓰며 말씀에 따라 서로 사랑을 나누고 주를 증거하는 일에 정진할 때 자랑스러운 그리스도인으로 성숙할 것입니다.

노동절과 자부심

››› 투표의 권리를 행사합시다 ‹‹‹

시민으로서 대통령을 선출한다는 것은 큰 특권인 동시에 힘입니다. 11월 7일에 있는 미국 대통령 선거에서 고어와 부시 두 후보간의 경쟁이 너무나 치열하기에 누가 당선될지 예측하기 어려운 형편에 있습니다.

미국 대통령 선거에는 두 가지 방법이 있습니다. 하나는 우리가 잘 알고 있는 일반 선거로서, 국민이 투표소에서 투표를 하여 다수표를 얻은 사람이 대통령이 되는 것입니다. 다른 한 방법은 선거인단 제도입니다. 이것은 1787년 미국 헌법을 제정할 당시 미국과 같이 넓은 나라에서 먼 시골에 있는 사람들에게 대통령 후보자를 알리는 것이 쉬운 일이 아니었기에 대통령을 선출하는 방법으로 고안된 것입니다. 네브래스카와 메인 주를 제외한 48개 주에서는 일반 선거에서 다수를 얻은 후보가 해당 주 선거인단 수 모두를 얻게 되며, 전국 선거인단 총수의 과반수를 얻으면 당선되도록 하였습니다. 한 주의 선거인단 수는 그 주의 상원과 하원의 수를 합친 것입니다. 일리노이의 경우는 상원 2명, 하원 20명을 합친 22표이며 미국 전체로는 상원 100명, 하원 438명 으로 총 538표이며 이 중 270표를 얻으면 당선됩니다. 인구가 가장 많은 캘리포니아는 선거인단 수가 54표이고, 인구가 작은 와이오밍은 단지 3표입니다.

1888년 일반 선거에서 민주당의 클리브랜드가 48.6%, 공화 당의 해리슨이 47.8%의 표를 얻었지만 해리슨이 과반수의 선거 인단 표를 얻어 대통령이 된 적이 있습니다. 국민이 투표한 대로 안 되는 것이기에 선거인단 제도를 철폐해야 한다는 운동이 있 었으나 아직 성공하지 못하고 있습니다. 금년에는 여론 조사에 서 두 후보의 지지율이 아주 비슷합니다. 따라서 일반선거에서 는 패배했으나 선거인단 표로 승리할 가능성이 있다고 보기에 후보들은 선거인단의 수가 많은 주에서 집중적으로 선거운동을 하기도 하였습니다.

시민의 한 표는 참으로 중요합니다. 힘 있고 아름다운 투표의 권리를 행사할 수 있기를 바랍니다.

투표의 권리를 행사합시다

>>> 감사하는 기쁜 마음 <<<

결실과 추수의 계절 11월을 감사의 달로 생각하며 다음 주일은 추수감사주일로 지킵니다. 지난 1년 동안 하나님께서 우리를 인도하시고 지켜 주신 것을 기억하고 감사할 수 있는 기회입니다. 감사는 마음에 평안을 주며 우리에게 행복하고 건강한 삶을 가져다줍니다. 분주하고 피곤한 하루하루를 보내면서 짜증나는 일도 많지만, 그런 중에도 감사하는 것은 우리의 삶을 더욱 아름답고 풍요롭게 합니다. 감사는 저절로 되는 것이 아닙니다. 의지적인 노력과 훈련으로 감사의 생활을 할 수 있기에 성경은 범사에 감사하라고 말합니다.

감사하기 위해 먼저 우리가 노력해야 하는 것은, 별것 아닌 사소한 일에 기분이 상하고 불평이 생기는 것을 막는 것입니다. 아침에 자동차로 출근하는 길에 어떤 사람이 앞으로 끼어들 때 어떤 마음이 듭니까? 나의 권리를 침해라도 받은 듯이 기분 나빠하며 손가락질하고 욕하는 일이 많지 않습니까? 욕을 먹는 편에서도 오랫동안 기분이 나쁠 것입니다. 그러나 다른 한편으로는 큰길에서 남의 앞에 끼어든다는 것이 그렇게 큰일은 아닙니다. 흔히 있는 사소한 일이 아닙니까? 내가 천천히 가며 길을 막고 있을 수도 있습니다. 그가 급한 일로 분주하게 가는 것이라고 이해하고 받아들이면 기분 나쁠 것이 없을 것입니다.

감사 생활에는 고마운 사람을 떠올리는 것이 큰 도움이 됩니다. 우리가 만나는 많은 사람 중에 고마운 사람이 있습니다. 교회 주차장에서 길로 나가는데 내가 끼어들 수 있도록 양보해 주는 사람이 있습니다. 식당에 드나들 때 나를 위해 문을 잡아 주는 사람, 지나가며 미소로 맞아 주는 사람도 있습니다. 사소한 일 같지만 하루를 시작할 때 이런 사람을 생각하며 고마운 마음을 가진다면 하루 종일 우리의 삶은 부드러울 것입니다. 아름다운 자연, 건강한 삶, 죄와 죽음에서 구원받은 것 등으로 하나님께 감사하는 것이 축복이지만 사소한 일에 감사의 마음을 가지고 표현할 수 있다면 우리 삶은 참으로 행복하게 될 것입니다.

>>> 범사에 감사 <<<

추수감사주일을 맞아 지난 1년 동안 하나님이 베풀어 주신 은혜와 사랑에 감사합니다. 지난 36년 동안 우리 한미교회를 지키시고 복 주신 하나님과 헌신적으로 교회를 함께 섬겨 온 여러분들에게 감사를 드립니다. 젊은 의욕으로 조국을 떠나 미국에 왔던 그 시절을 생각한다면, 많은 세월이 지났지만 지금까지 힘 있는 오른손으로 우리를 붙잡아 주신 하나님께 감사한 것뿐입니다.

돌아보면 좋은 일, 잘된 일이 많아 감사합니다. 때로는 잘못된 일, 갈등과 실수도 있지만 그것으로도 하나님께 감사하게 됩니다. 하나님께서 모든 형편을 다스리며 합동하여 유익하게 하심을 알고 있기 때문입니다.

요셉은 부모와 형제의 사랑을 마음껏 받으며 자라날 수 있었지만 형들에게 심한 미움을 받고 외국으로 팔려 가는 아픔을 겪었습니다. 남의 집 종으로서 고난의 삶이 시작되었지만 그에게는 형이나 다른 사람을 향한 증오나 원망의 모습이 보이지 않습니다. 하나님이 그와 함께한다는 것을 경험하며 감사의 삶을 살면서 오히려 형들을 위로하기까지 하였습니다.

바울은 그리스도와 복음을 위하여 일하다가 잡혀서 매를 맞고 감옥에 들어갔지만 고통 중에도 하나님께 찬양하며 기도하였습니다. 병든 사람에게 그의 손수건만 얹어도 병이 낫기까지 하였습니다. 그러나 자기 몸에 있는 가시가 제거되도록 세 번이나 간절하게 기도하였지만 병이 떠나가지 않았습니다. 그는 아픔을 지니고 살면서도 하나님께 감사하였습니다. 연약함 가운데서 하나님의 능력과 사랑을 경험할 수 있었기 때문입니다.

고통 중의 감사는 요셉이나 바울만의 것이 아닙니다. 한국이 모든 면에서 만족스러웠다면 우리는 아마 한국을 떠나지 않았을 것입니다. 역경의 산물이 바로 문명입니다. 하나님은 모든 형편을 선으로 바꾸시기에 범사에 감사하라고 하십니다. 이것이 바로 하나님께서 하시는 일을 받아들이는 삶입니다.

>>> 환히 열린 넓은 주님의 길 <<<

감사절을 지내면서 여러분의 대부분이 가족과 친지가 함께 모여 즐겁게 감사를 되새기는 축복의 시간을 가진 줄로 압니다. 저는 미국에 온 이후 26년 만에 처음으로 집과 교회를 떠나 다른 지역의 가족을 만나는 기쁨을 가졌습니다. 중국 선교를 위해 일하던 동생이 뉴욕에서 목회를 시작하게 되어 한국에서 어머님을 모시고 왔기에, 어머님도 뵙고 동생의 목회 출발을 축복하기 위해 잠깐이지만 동생의 집을 방문하고 그의 온 가족을 만났습니다. 그리고는 두 달 후면 아기를 낳을 큰딸의 집을 방문하고 사위의 온 가족, 저의 온 가족이 같이 만나 서로 격려하고 사랑을 나누며 지난 1년 동안 감사한 일이 무엇인지를 서로 이야기하며 하나님께 감사하는 시간을 가졌습니다.

이번에 여행을 하면서 새삼스레 감사한 것이 또 있었습니다. 유나이티드 항공 비행기를 탔는데 최근 결항, 지연이 많기에 일찍 공항에 가서 기다리는 번거로움은 있었지만 그래도 오고 가는 비행기가 모두 제대로 운행되었습니다. 비행기를 타면서 하늘 길이 열린 것을 새롭게 느꼈습니다. 비행기는 열린 길을 따라 출발지와 목적지를 안전하게 연결하여 주었습니다. 여행자를 만족시키고자 성실하게 일하는 조종사와 승무원에게 감사하는 마음이 들었습니다. 자동차 길도 잘 열려 있습니다. 필라델피아에서 뉴저지, 뉴욕, 다시 필라델피아로 가는 고속도로는 서로를 잘 연결하는 환히 열린 넓은 길이어서 기쁜 마음을 갖게 하고 감사하는 마음을 일으켰습니다. 하늘과 땅의 열린 길은 지역과 사람을 연결하고 만나게 하며 하나 되게 하고 사랑을 나누게 합니다. 참으로 감사한 일이었습니다.

그러나 가까이 살아도 연결되지 않는 경우도 많습니다. 마음이 닫혀 있거나 장벽이 있어서 남남이거나 또는 적대관계에 있기도 합니다. 예수님께서는 길입니다. 하늘의 길로서 하나님과 우리를 연결하셨습니다. 그는 땅의 길로서 사람 사이를 사랑으로 연결하셨습니다. 오늘부터 길이신 그리스도의 교회 절기가 시작됩니다. 예수님의 길을 마음껏 달릴 수 있기를 바랍니다.

환히 열린 넓은 주님의 길

>>> 기다림 <<<

미국인은 누구나 지난 11월 7일 실시된 대통령 선거 결과가 공평하게 속히 종결되어 대통령이 결정되기를 기다리고 있습니다. 미국인뿐만 아니라 지금 온 세계의 이목이 플로리다로 집중되어 있습니다. 플로리다의 선거 결과에 따라 대통령이 결정되기 때문입니다. 11월 14일이 투표 결과를 발표하는 날인데 대법원의 개입으로 11월 26일까지 연기가 되어 결국 부시가 플로리다의 승자요 이로써 미국 대통령이 될 것으로 발표되었습니다. 그러자 고어가 재심 신청으로 고소함으로써 아직 결정이 되지 않고 있습니다. 무효로 처리된 표를 모두 다시 계산해야 한다는 것입니다. 이와 관련하여 플로리다 법원과 연방법원에 고소가 된 것이 수십 건이나 되어 마지막 연방 대법원과 플로리다 고등법원의 판결을 기다리고 있습니다.

우리 일반 시민으로는 누가 대통령이 된들 생활에 얼마나 변화가 있겠습니까? 세금에 얼마나 혜택을 볼 것이며 의료에 얼마나 도움이 있겠습니까? 사회보장제도에 어떤 장점이 있고 교육, 범죄, 환경에 어떤 변화가 올까요? 보수적인 성향, 진보적인 성향에 어떤 만족을 줄 것입니까? 미국이라는 나라는 대통령에 따라서 하루 아침에 변화가 있지 않음을 우리가 알고 있기에 일반 시민의 생활은 그대로 진행되어 갈 것입니다. 그래도 사람들은 대통령이 적절하게 결정되고 정한 날에 취임하기를 기다립니다.

세상의 모든 대통령과 왕, 의회와 군사를 다 합친 것보다도 인류 역사에 더 큰 영향을 미친 분이 있습니다. 바로 예수 그리스도입니다. 그의 탄생과 생애, 그의 죽음과 부활은 인류뿐만 아니라 바로 나에게 생명이냐 죽음이냐 하는 결정적인 영향을 주고 있습니다. 그를 통하여 영원한 심판과 죽음에서 구원되어 참 생명과 영원한 축복을 가지게 되는 것입니다.

지금은 대림절로서 바로 이 예수 그리스도의 탄생을 기다리고 있습니다. 그를 기다리고 모심으로 참 생명과 평안을 누리게 되시기를 바랍니다

>>> 배우는 기쁨 <<<

감격스럽게 맞은 새로운 천년의 첫 해가 어느새 한 달도 남지 않았습니다. 많은 꿈과 계획을 가지고 시작한 금년에 많은 것을 이루었겠지만 아직도 해야 할 일, 달려갈 길이 우리 앞에 남아 있습니다. 새해나 새날을 맞을 때 우리 모두는 작년이나 어제보다는 더욱 발전되기를 바라는 마음입니다. 미국에서 산 지 오래 되었지만 사실 미국을 잘 모르고 있는 경우가 대부분입니다. 알려면 공부하고 노력해야 합니다. 우리는 오랫동안 신앙생활을 하였지만 사실 신앙의 내용이나 성경에 대해서 잘 모르는 경우가 많습니다. 우리 모두가 실력 있는 그리스도인이 되기를 바랍니다.

우리 교회에는 지금 많은 훈련과 공부가 진행되고 있습니다. 주일에 실시하는 선교회별 성경 공부는 인도자와 참여자에게 참으로 기쁨과 감격과 도전을 주고 있습니다. 인도자 준비모임에서는 인도자들의 준비와 열심에 제가 큰 감동을 받고 있습니다.

화요일 아침과 수요일 저녁에 진행되는 제자 양육은 참으로 열기와 격려가 있습니다. 모두가 그리스도의 성숙한 제자로 자라나기 위하여 주님을 닮고자 애쓰고 있습니다. 신년도에 시무를 시작할 직분자들은 월요일 저녁에 모여 사명을 새롭게 확인하며 더욱 충성스럽게 섬기기 위하여 준비하고 있음을 감사합니다. 예수 그리스도를 구주로 고백하고 세례 받기 위하여 교육을 받는 여러분들은 인격자이신 하나님과 예수 그리스도를 만나며 그를 배우는 기쁨을 누리고 있습니다. 새로 등록한 분들이 참여하는 입문교실은 서로 사랑과 교제를 나누며 함께 신앙생활 하며 섬기는 형제자매의 결속을 굳게 하고 있습니다.

이 모든 모임과 교육은 우리가 하나님의 사랑에 응답하여 그와 그의 몸된 교회에 헌신하고 성숙해지며 사역하기 위한 것입니다. 우리 믿음의 바탕은 그리스도요 하나님의 말씀인 성경입니다. 이 말씀은 살아 있어 우리를 교훈하고 책망하고 바르게 하며 인도합니다. 우리가 말씀을 따라 살 때 우리의 삶은 변화됩니다. 그리고 우리 모두는 변화된 새사람이 될 수 있습니다.

>>> 하나를 이루는 아름다움 <<<

11월 7일 선거 후 36일 만에 미국의 43대 대통령이 결정되
었습니다. 미국 근대 역사에 유례없는 치열한 선거였습
니다. 1년 이상 선거 유세를 하면서부터 고어와 부시 두 후보자
는 정책과 인물에 있어 차이가 많아 서로를 공격하고 비판하였
습니다. 일반 투표에서 승리한 고어가 플로리다에서도 확실하게
이긴 것으로 생각하였지만 연방 대법원의 판결로 부시에게 승리
가 돌아간 것입니다. 고어는 대법원의 판결에 동의하지는 않지
만 국가의 일치와 민주주의의 힘을 위해 그 판결을 수용하고 당
선자에게 전화를 걸어 축하하며 선거 운동의 분리와 대결을 치
유하기 위해 빠른 시일 안에 둘이 만나겠다고 한 후에 부드럽게
패배 연설을 하였습니다. 그는 미국과 민주주의 자유의 원리로
'사람'이 아니라 '하나님과 법 아래서'를 받아들였습니다. 그것
이 미국의 힘입니다. 그와 동료는 이번 결과로 실망하였지만 나
라 사랑으로 그것을 극복하며, 손실이 크다 해도 패배는 승리와

마찬가지로 영혼을 형성하고 영광이 나타나게 한다고 하였습니다. 논쟁이 오래갔지만 승리자와 패배자가 평화롭게 화해의 정신으로 결과를 받아들이며 이제 그는 새로운 대통령을 위해 마음껏 일하겠다고 하였고, 국민들에게 대통령 뒤에서 단합하자고 호소하였습니다. 참으로 장하고 아름다운 일입니다.

부시 당선자는 고어의 심정을 이해하면서 심령과 나라 치유에 최선을 다하고 양당이 협력할 것을 다짐하였습니다. 희망, 목표, 가치가 정치적 불일치보다 훨씬 중요함을 알고 화해와 일치, 진보를 위해 함께 일할 것이라고 하였습니다. 그는 서로 존경하고 차이점을 존중하며, 관대한 마음으로 열심히 일하며 문제를 함께 해결하여 모든 시민이 미국의 꿈을 이룰 수 있는 개방된 미국으로 만들기를 원하며 기도를 부탁하였습니다.

국론이 분리되고 심하게 싸웠지만 일단 당선자가 결정되자 서로가 인정하고 받아 주며 큰 나라를 가운데 두고 하나가 되는 것을 봅니다. 성도는 화해자 예수 그리스도를 가운데 두고 더욱 하나가 되어야 하겠습니다.

하나를 이루는 아름다움

>>> 모든 것을 희게 하여 <<<

지구가 온실화로 지난 몇 년 사이 겨울이 점점 춥지 않아지는 것을 느껴 왔습니다. 금년 겨울은 정상화된다고 하더니 겨울도 되기 전에 세 차례나 큰 눈이 내리고 온도도 영하로 내려가 새로운 기록을 세우고 있습니다. 새 천년에 새로운 역사가 시작되는 것 같습니다.

눈이 많이 오고 날씨가 추워지니 1976년의 눈사태를 생각하게 됩니다. 뉴욕 올바니에서 첫 목회를 하고 있을 때, 아침에 일어나면 아파트 주차장에 있는 차들이 모두 눈에 덮여 차를 찾을 수가 없을 정도였습니다. 도로의 눈을 치워 쌓아둔 것이 성벽과 같았습니다. 너무 추워 자동차 엔진이 걸리지 않는 일이 비일비재했습니다. 버펄로 지역은 눈으로 교통이 두절되고 장갑차가 길을 내어 식품을 나를 정도였으며, 많은 여행자가 고속도로에서 더 나아가지 못하고 인가가 있는 5분 거리에서 죽었습니다. 그러나 30대 중반의 목회자로서 저는 두려움도 모르고 사역이 마냥 즐겁기만 하였습니다.

눈이 내리면 사람의 마음이 부드러워집니다. 눈이 냉기를 흡수해서 날씨를 푸근하게 합니다. 지난 11일에는 한 자 정도 깊이의 첫눈이 내렸습니다. 아내와 저는 동심이 되어 즐거운 마음으로 눈길을 마음껏 걸어보았습니다. 아름답기만 하였습니다. 비가 올 것이 눈이 되면 왜 희어지는지 그 이유는 잘 모르겠지만 눈은 희기 때문에 아름답습니다. 하늘에서 내리는 것도 아름답지만 땅의 모든 것을 희게 덮어 주기에 아름답습니다. 땅에 있는 것은 모두가 다릅니다. 모양과 색깔이 다르고 큰 것, 작은 것, 추한 것, 아름다운 것이 있어 서로 자기를 나타냅니다. 그러나 눈이 오면 모두 한 가지 색으로 덮입니다. 더러운 모든 것이 가려집니다. 예수님께서 하시는 일과 같습니다.

인간에게는 높낮이와 같은 구분이 많지만 예수 그리스도 안에서는 모두가 하나로 사랑을 받습니다. 우리의 허물과 부족, 더러운 모든 죄는 예수님으로 인하여 흰 눈과 같이 깨끗해집니다. 더러운 옷을 벗고 흰 세마포로 된 새 옷을 입게 됩니다. 하늘나라 백성은 푸근하고 아름답기만 합니다.

모든 것을 희게 하여

제3부

우리의
인생 꽃

그리스도 안에 있는 사람은 아름다운 성령의 열매와 함께

믿음의 든든한 뿌리를 남길 수 있습니다.

자녀들만 아니라 믿지 않는 자나 새 교우들은

먼저 믿는 자를 통하여 아름다운 꽃을 보며

동시에 열매와 뿌리를 받기를 원합니다.

여러분의 인생 꽃에 열매와 뿌리가 있기를 바랍니다.

>>> 오메가 포인트 <<<

오메가 포인트라는 말이 있습니다. 예수님께서는 자기를 알파와 오메가라고 하셨는데, 알파와 오메가는 희랍어 알파벳의 첫 자와 끝 자로서 처음과 마지막이라는 말입니다. 오메가 포인트는 시간의 마지막이요, 동시에 우리가 누구인가 하는 것의 결론이라는 의미입니다. 오늘은 2000년의 마지막 날로서 역사가 2천 년으로 끝난다면 오늘이 그 마지막 날이 될 것입니다. 돌아보면 역사의 주인이신 하나님께서 우리를 지켜 주신 것에 감사하지만 2천 년의 끝이 온 것이 사실입니다.

몽고메리 워드 백화점은 100년 이상 미국을 대표하는 소매업으로 미국인의 사랑을 받았습니다. 그러나 이번 연말에도 활기를 찾지 못하고 심한 적자와 손해를 이기지 못하여 250점포 이상이었던 전체 백화점을 폐점하기로 결정하여 28,000명 이상의 직원이 실직하게 되었습니다. 그 백화점에 오메가 포인트가 온 것입니다. 모든 희망과 노력이 무너지는 절망이요, 죽음입니다. 클린턴 대통령 임기의 끝 곧 오메가 포인트가 3주 남았습니다. 그러나 그는 미국 헌법이 허락한다면 3선에 출마하여 당선되었을 것이라고 합니다. 절망과 끝을 모르는 젊은 기백이 있는 것은 좋은 일입니다.

오메가 포인트는 어느 면에서 좌절이요 끝입니다. 그러나 우리 속담에 '하늘이 무너져도 솟아날 구멍이 있다'는 말이 있습니다. 오메가 포인트에서 하나님이 일하십니다. 엘리야는 위대한 선지자로서 바알 신 선지자와 대결하여 여호와 하나님이 살아 계신 하나님임을 증거하는 능력을 발하였습니다. 그러나 그를 죽이겠다는 왕후의 위협에 쫓겨서 도망하여 굴속에 숨었습니다. 스스로 죽기를 소원하였습니다. 바로 오메가 포인트였습니다. 그러나 그것이 하나님을 새롭게 만나는 기회가 되었습니다. 아브라함도 100세 된 자기 몸이 죽은 것 같음을 확인할 때 하나님께서 개입하여 아들을 낳게 하셨습니다. 오메가 포인트는 하나님의 시간입니다. 2천 년이 끝나는 여러분의 시간을 하나님께 맡긴다면 그가 영원한 생명의 계획과 역사를 이루어 나가실 것입니다.

>>> 2001년도를 맞으며 <<<

새 해 첫 주일이 되어 역사를 주관하는 하나님께서 우리 모두를 인도하셔서 소원하는 일들이 아름답게 이루어지기를 기원합니다. 사람과 조직마다 새로운 소원이 있을 것이며, 그것을 이루기 위해 계획을 세울 것입니다. 대통령 당선자 부시는 취임을 앞두고 함께 일할 15명의 각료들을 선정하였습니다. 백인, 흑인, 히스패닉, 아랍계, 일본계, 민주당, 여자 등 각계각층을 망라하여 중도적이고 거국적인 막강한 내각을 구성하였습니다. 혼자 모든 일을 할 수가 없기에 각 방면에서 유능한 자들을 뽑아 팀을 이루었습니다.

일을 하는 데는 사람만 모여서 되는 것은 아닙니다. 하나님과 팀이 되어야 합니다. 하나님은 천지를 창조하시고 그 뜻에 따라 운행하고 계시며 우리의 모든 삶을 그의 계획에 따라 인도되기에 우리는 하나님의 뜻을 따라야 합니다. 순천자는 흥하고 역천자는 망한다는 말이 있듯이 하나님이 함께 해야 일이 성사됩니다. 하나님을 배제하면 집을 세우는 것이나 성을 지키는 모든 것이 허사입니다. 부시가 국민들에게 자기를 위하여 하나님께 기도해 달라고 부탁한 의미가 여기에 있습니다.

사람은 또한 자기 자신과도 팀이 되어야 합니다. 사람에게는 하나님이 주신 지혜와 재능, 능력이 있는데 이것을 잘 발견하여 활용해야 성공할 수 있습니다.

우리 교회는 교회로서 해야 할 막중한 사명이 있습니다. 이것은 누구 혼자서 이룰 수 있는 것이 아니기에 모든 교인과 직분자가 함께 하나로 팀을 이루고 협력해야 목적을 이룰 수 있습니다. 몸의 지체와 같이 사역의 분야가 다양하기에 각 분야에서 사역을 맡은 이들이 성실하게 사명을 다함으로써 교회는 몸으로서의 기능을 발휘할 것입니다. 각각 일하는 지체들이 서로 존중하고 협력할 때 건강한 몸과 교회가 될 것입니다. 금년에 새롭게 임직하는 분들은 참으로 유능하고 충실한 분들로서 이들에게 기대하는 바가 많습니다. 하나님이 불러서 맡기신 귀한 일들을 믿음으로 받아 기쁨으로 섬길 때 주께는 영광, 교회에는 은혜가 될 줄로 믿습니다.

2001년도를 맞으며

>>> 첫 손녀를 얻은 기쁨 <<<

지난 8일 저의 큰딸인 신아가 첫딸 가브리엘을 분만하여 우리 가정은 30년 만에 생명 출산의 기쁨을 가졌습니다. 손주는 무조건 예쁘다고 하는데 얼른 가서 보고 싶었지만 우리 부부가 모두 감기에 걸려 있어 아직 가 보지를 못했습니다. 가까이 살고 있는 다른 두 딸이 먼저 가서 조카를 돌보는 즐거움을 누리고 있습니다. 요즘 여러 가정에서 새로운 아기들이 태어나는 것을 보며 같이 기뻐하고 축하합니다. 그러나 생명을 받는 것은 쉬운 일이 아닙니다. 임신한 것을 알게 되면 부부의 삶이 태아 중심으로 바뀝니다. 몸과 마음가짐, 먹는 것, 가는 곳을 조심합니다. 태어나기를 기다리며 방과 가구, 옷을 준비합니다. 모든 것에 아름다움과 행복이 담겨 있습니다.

일단 아이가 태어나면 그 아이는 기쁨과 행복을 주며 가정의 중심이 됩니다. 부부는 조금이라도 아이에게 불편하지 않도록 돌보고 살핍니다. 먹을 시간이 되었는지, 무엇 때문에 우는지 세심하게 관심을 가집니다. 산모가 먹는 모든 것은 모유에 도움이 되는 것들입니다. 잠자는 시간도 아이에게 맞추고, 잠든 아기를 깨울세라 말소리도 조용해지면서 집안의 분위기가 바뀝니다. 왜 그렇습니까? 생명의 존귀함 때문입니다. 하나님께서 주신 생명이요, 아직 스스로 처신하지 못하는 어린 것이기에 부모가 그렇게 보살피는 것입니다.

교회는 영적 생명의 산실이요, 그 생명이 양육되는 가정입니다. 그리스도의 신부인 교회에는 새로운 생명이 태어나고 자라날 때 즐거움이 있습니다. 자녀를 가져 본 사람만이 그것을 알 수 있습니다. 어떻게 생명을 출산할 수 있습니까? 생명을 품어야 합니다. 자녀를 달라고 기도하며 하나님이 보여 주시는 사람을 가슴에 새기며 그가 하나님의 자녀로 태어나도록 기도하며 노력해야 합니다. 영적 자녀를 출산하고 양육하는 것도 일반 아기를 출산하고 양육하는 것과 같은 정성을 필요로 합니다. '새 신자는 왕이요, 헌 신자는 종이다' 라는 말의 뜻을 실감합니다. 우리 교회는 영적인 자녀가 많이 태어나고 이들이 만족스럽게 자라나는 복된 가정이 되기를 바랍니다.

첫 손녀를 얻은 기쁨

>>> 43대 **대통령** 조지 **부시의 취임** <<<

미국 43대 대통령 조지 W. 부시가 어제 취임하고 대통령으로서 집무를 시작하였습니다. 그의 취임을 함께 축하하며 하나님의 도우심으로 그가 훌륭한 대통령이 되기를 기원합니다.

대통령이 되는 것은 쉬운 일이 아닙니다. 선거하기 1년 이상 전에 전당대회를 통하여 당의 지명을 받고 전국을 순회하며 경쟁적이고도 열띤 선거 운동을 해야 했습니다. 지난 선거는 미국 근대 역사상 가장 근소한 차로 당락이 결정되었지만 일반선거와 선거인단 선거의 결과가 달랐기에 법정 투쟁도 격렬하였습니다. 고어가 패배를 인정하고 부시 지지를 선언하였지만 클린턴 대통령은 며칠 전 시카고를 방문하였을 때 고어가 선거에 이겼다고 논평하였고, 시사 정치 만화는 취임 선서를 하는 부시의 옷에 고어가 진짜로 이겼다는 꼬리표를 붙여 놓기도 하였습니다. 그러나 부시는 대통령 당선자로 인정되고 사람들은 새로운 대통령에게 새로운 기대를 가지고 대통령의 위치와 위신을 회복시켜 주기를 바라고 있습니다.

부시는 대통령으로 당선된 후에 어제 국민과 온 세계가 지켜보는 가운데 성경에 손을 얹고 윌리엄 렌퀴스트 대법원장 앞에서 국법을 준수하며 성실하게 대통령직을 수행하겠다고 선서했습니다. 그 뒤에 대법원장이 그를 취임시킴으로써 공식적으로 대통령이 되었습니다. 그가 설령 대통령으로 당선되었다고 해도 이런 취임식이 없으면 대통령이 되지 못합니다.

하나님은 온 세상을 지으시고 다스리는 우주의 통치자요, 인류 역사를 주관하는 만왕의 왕이며 만유의 주입니다. 그렇지만 그는 그를 왕으로 취임시키는 곳에서 그들과 관련을 맺고 일합니다. 이스라엘 백성들은 매년 새해가 되면 여호와 하나님을 그들의 왕으로 등극시키고 보좌에 앉히며 그를 전능한 통치자로 모셨습니다. 이것이 그들에게 생명이요, 축복입니다. 예수 그리스도는 세상의 구주요, 왕입니다. 우리의 마음을 열어 그를 모실 때만 그는 우리의 주가 되고, 우리는 그의 백성이 됩니다.

43대 대통령 조지 부시의 취임

>>> 신사년 **설날** <<<

미국에 살면서 절기를 제대로 기억하지 못하지만 지난 24일은 구정 설날이라 신사년 뱀의 해가 시작되었습니다. 뱀은 말만 들어도 끔찍하고 보면 소름이 끼치는 무서운 동물입니다. 혀를 날름거리는 그 뒤에는 독이 가득하여 사람을 물면 고통과 죽음을 가져오기에 무섭습니다. 또한 사람은 뱀에게 잡혀 타락하게 되었고 삶의 저주를 가져 왔기에 뱀은 악과 증오의 대상이 됩니다. 성경은 뱀을 사단과 동일하게 보기도 합니다.

뱀은 처음부터 그렇게 흉칙한 동물은 아니었습니다. 하나님이 창조했을 때 뱀은 매력 있고 가장 지혜로운 동물이어서 에덴 동산에서 하와와 깊은 대화와 교제를 나누기도 하였습니다. 예수님께서도 제자들을 내어 보낼 때 뱀같이 지혜로우라고 말씀했습니다. 옛날 근동에서는 뱀을 신과 제왕을 상징하는 것으로 여겨 왕관에 뱀을 새기며 신으로 숭상하였습니다. 중국에서는 뱀을 지혜와 매력이 풍부하고 낭만과 생각이 깊고 직관이 좋은 것으로 보았습니다. 한국에서도 큰 구렁이가 집을 지켜 준다고 믿고 구렁이 꿈은 길몽이라고 하였습니다.

이런 뱀이 어떻게 저주스럽고 무서운 것으로 변하였습니까? 사람을 타락시켜 하나님을 떠나게 하고 세상에 죄와 죽음을 불러들인 사단의 도구가 되었기 때문입니다. 사단은 무엇이든 이용하여 하나님을 대적하고 사람을 멸망시킵니다. 사단은 모양 없고 이름 없는 자보다는 지혜롭고 아름다우며 낭만 있고 생각이 깊으며 자기를 나타내기 좋아하는 자에게 쉽게 접근하여 이용합니다. 뱀은 사단에게 이용되자 팔다리를 잃고 혀가 잘리며 배로 다니는 저주를 받았습니다. 사단은 본래 아름답고 영화로운 천사로서 자기 자신을 자랑하고 교만하여 하나님 자리를 탐하다가 떨어졌습니다. 그는 자랑할 것이 많은 교만한 자를 유혹하여 자기 편으로 만들고 하나님과 사람의 원수가 되게 합니다. 섰다고 생각하는 사람은 항상 넘어지지 않도록 조심하고, 하나님을 사랑하며 그의 보호를 받도록 기도해야 할 것입니다.

신사년 설날

>>> 재소자 **방문길**에 <<<

지난 1월 26일 눈이 뿌리는 아침, 88번 고속도로 근방에 있는 55번 고속도로 선상에서 노면의 얼음으로 인해 미끄러진 밴이 중앙분리대를 넘어 반대편에서 오는 트럭과 충돌했습니다. 이 사고로 일리노이 도로 역사상 가장 끔직한 참사가 일어나서 밴 운전사 가닐 매튜와 9명의 승객이 죽었습니다. 이 밴은 졸리엣의 교도소에 있는 재소자들을 방문하러 가는 가족과 친구들을 태우고 있었습니다.

미국의 교도소는 거의 만원이지만 사회의 범죄는 계속되고 있습니다. 교도소에 있는 사람이 형기를 마치고 출소를 한다고 해도 찾아갈 가족이나 친척이 없는 경우에는 대개가 다시 범죄를 저지른다고 합니다. 교도소에 있을 때 방문을 받지 못한 자는 적어도 3번 방문을 받은 자보다 출소 후 1년 이내에 다시 교도소로 돌아오는 비율이 6배나 많다고 합니다. 교도소에 있는 동안 사랑과 관심을 받은 사람은 사회에 나와 더 잘 적응하고 지낼

수 있게 됩니다. 재소자에게 사랑과 관심을 가지고 그들을 찾아
가는 것이 바로 그들을 보호하며 범죄를 줄이는 한 방법입니다.

이를 인식한 구세군에서는 '오늘의 재소자가 내일의 이웃'
이라는 구호 아래 지역 교화 활동으로 지난 22년 동안 교도소
방문 차량을 제공하였습니다. 예수님께서 오른편에 있는 양들에
게 "내가 옥에 갇혔을 때 너희가 찾아 주었다"라고 말씀한 것을
실천하는 것입니다. 밴을 운전한 가닐 매튜는 이전에 재소자였
지만 출소한 후에 재소자와 가족을 연결하여 그들을 보호하고
봉사하는 일에 헌신하여 지난 6년 동안 그 일을 해왔습니다.

이날 참사를 당한 자들이 방문하러 가던 9명의 재소자 가운
데 8명은 이미 출소 일자가 정해져 있다고 합니다. 정기적으로
그들을 찾아 주는 가족과 친척이 있는 것이 그들에게 큰 도움이
되었습니다. 운전자 가닐의 공로가 컸던 것으로 인정됩니다. 그
는 죽었으나 그가 한 일은 많은 재소자와 가족, 그리고 사회에
밝은 빛을 주었습니다. 우리 모두는 세상에 있는 동안 사람을 세
워 주고 격려하고 후원하며 아름다운 관계를 맺게 되기를 바랍
니다.

>>> 멕시코 유카탄에 의료 선교를 다녀와서 <<<

지난 1월 29일부터 2월 3일까지 본 교회에서 12명의 성도들이 멕시코 유카탄에 가서 의료 활동을 하고 돌아왔습니다. 그곳에는 한인 후예들이 많이 살고 있지만 본 교회에서 김학로 장로님이 지난 3년간, 이종하 이도선 집사님 부부가 지난 1년간 사역 활동을 하고 있습니다. 본 교회의 파송 기도를 받고 갔는데, 본 교회가 작은 힘이지만 재정적인 후원을 하고 있습니다. 그동안 개인적으로 여러 명이 방문하였고 작년에는 핸드벨 팀이, 이번에는 담임목사인 저를 포함하여 의료팀이 가서 귀한 사역을 하고 돌아왔습니다.

유카탄 지역은 편리한 점이 많습니다. 무엇보다 거리가 멀지 않아 쉽게 내왕할 수 있고 시간대가 같습니다. 멕시코 전체에 가톨릭 신자가 90% 이상이지만 이미 오래 전에 개신교의 선교가 있어서 복음이 전파되고 교회들도 있기에 현지 교회와 협력하는 것이 용이합니다. 수도 메리다는 미국 문화요, 시외는 원시문명을 유지하고 있습니다. 주민들은 스페인과 마야의 혼혈인 메스티조가 대부분이지만 한인 후예와 함께 외모가 생소하지 않아 별로 불편함이 없이 접근하고 사역할 수 있습니다.

그러나 어려운 점도 많습니다. 우선 언어가 통하지 않고 주거 구조가 다르며 화장실과 위생 상태가 매우 불량한 상태에서 섭생하는 것이 쉽지 않습니다. 날씨는 현재가 제일 좋은 때로서 낮이 화씨 93도이지만 3월이면 벌써 화씨 120도까지 올라갑니다. 또한 여러 가지 날벌레, 해충의 공격을 막는 것도 큰일입니다. 이런 곳에서 일하는 것은 큰 결단이요 모험입니다.

본 교회에서 그곳에 가 계신 세 분은 큰 결단을 한 것입니다. 사업을 하던 분들로서 은퇴를 앞두고 하나님 앞에서 삶을 점검하다가, 하나님이 기뻐하시는 일을 위하여 사업과 집을 정리하고 스스로 자비량 예산을 세워 헌신하신 것입니다. 그들에게는 기쁨과 보람이 있습니다. 평신도이기에 제한도 있지만 할 수 있는 한 최대로 노력하여 하고 있습니다. 하나님께서 그들과 같이하여 사역을 축복하시도록 더욱 기도해야 하겠습니다.

멕시코 유카탄에 의료 선교를 다녀와서

>>> 새로 오신 한 가정을 심방하면서 <<<

지난 주간 우리 교회에 새로 나오게 되신 한 가정을 심방했습니다. 우리 교회에 대한 인상을 말하며 칭찬하는 그 가정의 이야기를 듣고 크게 격려를 받고 감사하는 마음이 있었습니다.

그 내용은 이런 것입니다. 찬양대에서 악보를 준비하는 사람이 미리 프린트를 하여 모든 대원에게 때맞춰 잘 나누어 주며 성실하게 봉사한다는 것입니다. 새롭게 등록하였다고 소개가 되었더니 구역장이 안부 전화를 하고는 그 부부가 찾아와 심방을 했답니다. 그리고 교회와 구역에 대해 소개하고 구역예배에 초대하여 새 가족으로서 따뜻한 환영을 받았다는 것입니다. 이 가정의 한 자녀는 청각 장애가 있어서 적응하고 어울리는 것이 어려웠는데, 비슷한 나이의 아이가 찾아와 친구가 되겠다고 자원할 뿐만 아니라 청각 장애 친구를 돕기 위하여 도서관에서 책을 찾아 공부까지 한다는 이야기를 듣고는 눈시울이 뜨거웠습니다.

그뿐 아니라 모든 제직과 교우들이 질서 있게 각 분야에서 열심히 맡은 일을 다하고 있는 것을 보니 흐뭇하다는 것입니다. 심방을 하면서 이런 이야기를 듣는 것이 흔한 일이 아닌데 이런 일이 실제 교회에서 일어나고 있으니, 얼마나 감사하며 자랑스러운 일입니까? 해당되는 분들에게 뜨거운 감사를 드립니다.

사람을 주 앞으로 인도한다는 것이 쉬운 일이 아닙니다. 정착하도록 돕고 양육하는 것은 더욱 어려운 일입니다. 애를 써서 인도하였는데 얼마 안 가서 상처를 받고 떠나가는 경우가 있습니다. 그러나 위에서 말한 것과 같은 분들은 작은 일, 맡은 일에 충성하는 것만 아니라 다른 사람에 대한 사랑과 관심을 가지고 보살피는 주님의 마음을 가진 성숙한 사람들입니다. 이런 사람들이 바로 그리스도와 함께 우리 교회 역사를 이끌어 가는 힘입니다.

우리 교회에는 아직도 외롭고 힘든 사람이 많이 있습니다. 우리 모두가 있는 자리에서 작은 일이지만 맡은 일을 다하면서 조금만 더 그리스도의 관심을 가지고 옆에 있는 사람을 대할 수가 있다면 더욱 사랑이 풍성한 아름다운 공동체가 될 것입니다.

새로 오신 한 가정을 심방하면서

⟩⟩⟩ 두 가지의 시상 ⟨⟨⟨

지난 목요일 이 지역에서는 두 가지 시상식이 있었습니다. 하나는 고등학교 교사를 대상으로 하는 금사과상 (Golden Apple Award)으로 쿡, 두페이지, 레이크 등 3개 카운티에서 근무하는 1,200명의 고교 교사 가운데 뛰어난 사람 10명을 선정하여 시상하는 것입니다. 엘크 그로브 고등학교 교사인 짐 애리 씨가 이 상을 받게 되었습니다. 그는 공공봉사 실제라는 과목에서 학생들에게 공공봉사가 고상한 일임을 인식시키고 그들이 공부하는 동안에 자원봉사의 기회를 많이 가지게 했습니다. 바로 이것이 크게 인정을 받은 것입니다. 그는 수상 소감으로 "내 생에 여러 가지 일을 하였지만 이 교직의 일은 직업이 아니라 사랑이다. 순수한 기쁨이다"라고 하였습니다. 학생들을 사랑하기 때문에 가르치는 것에 큰 기쁨과 보람을 느끼는 것입니다.

교회에서는 봉사한 것에 대해 시상을 하는 일이 별로 없습니다. 저는 우리 교회의 지난 역사와 오늘을 돌아보며 이름 없이 빛도 없이 정말 주님과 교회를 사랑하며 기쁨으로 섬기신 많은 분들을 생각해 봅니다. 그리고 하나님과 그분들에게 감사하고 하나님께서 큰 상을 내려 주실 것을 믿고 기도합니다.

또 다른 상은 알링턴 하이츠 경찰서에서 최고 경찰관에게 수여하는 것인데, 2000년도 최고의 경찰관으로 스캇 메이 씨가 선정되었습니다. 그는 신입 경찰관을 잘 훈련시킨 업적을 인정받았는데, 특히 작년 여름 평소와 같이 신참 경찰에게 교통 취재를 시키다가 캔자스 주의 1급 살인자로 수배 중이던 사람을 발견했습니다. 그는 "내가 상을 받았으니 이제는 그 상의 수준에 맞는 삶을 살아야 한다"고 겸손하게 말했습니다. 그는 10년 동안 언제나 최선을 다하며 일하였습니다. 우리 주변에 이런 경찰관이 있기에 우리가 안심하고 안전하게 살 수 있습니다.

우리 교회에도 크리스천 직분자의 이름에 맞게 맡은 일을 성실히 수행하며 신입 교우에게도 관심을 가지고 그들의 신앙과 교회 생활을 잘 돕는 분들이 많습니다. 다음 주일에 시작되는 입문교실은 많은 사람들이 기쁨과 사랑을 맛보는 기회가 될 것입니다.

>>> 구역예배 공과 집필자 회의에 다녀와서 <<<

지난 주간에는 구역예배 공과 집필자 회의가 나성 영락교회에서 열려 본 교단에서 4명, 한인장로교에서 4명이 모였습니다. 이미 집필된 2002년도 공과 내용을 검토 수정하고 2003년, 2004년도의 주제와 집필 방향을 정하였습니다. 참석자 한 분은 반 은퇴하여 동사 목사에게 교회의 많은 책임을 맡기고 상당히 자유를 누리며 활동하고 있었습니다. 그는 많은 지역을 다니며 교회나 단체에 말씀을 증거하며 미국의 자원정신을 발휘하고 있습니다.

미국은 자원정신이 매우 강합니다. 학생들에게 공부 이외에 자원봉사 활동을 권장합니다. 미국 군인은 모두 자원자며 이들이 전쟁에 나갑니다. 이들은 용병보다 더 용감하고 희생적이며 나라를 사랑합니다. 평화 봉사단도 자원자로 구성되었고, 어느 지역에는 소방서도 자원자로 구성되어 있습니다. 선교도 자원자에 의해 크게 발전하였습니다. 19세기 초반 부흥운동의 결과로 변화받은 많은 사람들이 주를 위해 삶을 헌신하고 외국에 나가 복음을 전하였습니다. 기도하며 하나님만을 바라보는 가운데 선교비를 공급받지만 그들은 선교비를 약속받고 파송된 교단 선교사에 못지 않게 많은 일을 합니다. 현재 우리 교단에는 자원 선교사가 많습니다.

우리에게도 자원정신이 개발되고 있는 것에 대해서 감사합니다. 일주일 내내 피곤하게 일하다가 휴일이나 주일을 맞으면 쉬며 잠자는 것이 소원일 수도 있지만, 시간을 쪼개어 봉사를 함으로써 새로운 힘과 삶의 보람을 얻는 이들이 점점 많아지고 있습니다. 병원, 양로원, 학교, 도서관, 자선봉사 기관 등에서 봉사하는 분들이 많습니다. 대부분의 교회 일은 자원봉사의 일입니다. 무슨 일이나 쉬운 것이 아니지만 헌신한 자원자들로 인해 교회는 사명을 수행하며 발전하고 있습니다. 일례로 젊은 부모들이 예배와 성경 공부로 어린아이를 돌보는 일은 참여하여 신앙이 자라게 하며, 동시에 어린아이를 주의 사랑으로 양육하는 이중의 축복을 가집니다.

구역예배 공과 집필자 회의에 다녀와서

>>> 김대중 대통령 시카고 방문 <<<

지난 금요일 김대중 대통령이 시카고를 방문하여 미국 한인 사회 지도자들을 만났습니다. 많은 사람 가운데 대통령을 만나는 사람으로 선택되었다는 것은 영광스러운 일이며 동시에 그만큼 미국 사회에서 지도력을 발휘하고 있다는 의미도 됩니다. 만찬에서 대통령을 만난다는 것은 일평생 한 번 있을지도 모르는 일이기에 기쁘고 감격스런 일이요 자랑스러운 일입니다.

저는 노태우 전 대통령이 미국을 방문하여 뉴욕에서 환영 리셉션을 할 때 초청을 받고 참여한 적이 있었습니다. 제가 초청받은 것은 어떤 업적이 있어서가 아니라 아마도 제 친구 가운데 한 사람이 해외 공관에 있었기에 그의 추천이 아니었을까 싶습니다. 그런데 대통령의 연설을 듣고 그와 악수를 하는 기회를 가진 것은 하나의 특권처럼 생각되었지만, 그날 밤이 지난 후에는 기억에만 남을 뿐 더 이상 그와 교신이 있거나 만난 적이 없었습니다. 지난 금요일의 만남도 대부분의 사람에게는 그와 같을 것입니다.

우리는 이런 것과는 비교가 되지 않는 만남을 기다리고 있습니다. 바로 만왕의 왕이요, 만주의 주가 되시는 예수 그리스도가 베푸는 하늘의 만찬입니다. 성경은 반복하여 천국을 잔치에 비유하고 있습니다. 잔치의 주인공은 예수님입니다. 그는 우리를 참으로 사랑하십니다. 자기 목숨을 바쳐서 죄와 죽음에서 우리를 건질 만큼 우리를 사랑하십니다. 그로 인하여 우리는 영생을 누리고 천국을 소유하게 되었습니다. 그를 볼 때에 우리에게는 그를 향한 사랑과 감사가 넘칠 것입니다. 그에게 찬양과 영광을 드릴 것입니다. 영원토록 그 영광을 누릴 것입니다.

오늘의 삶은 이를 준비하는 것입니다. 그리고 교회와 신앙생활에서 그 즐거움을 미리 맛보는 것입니다. 교회의 모임에는 예수님께서 가운데 계십니다. 예수님께서 함께하지 않는다면 그것은 일반 세상 모임과 다를 것이 없습니다. 예배와 성경 공부, 기도회와 사역 활동에 주께서 같이 하심을 발견하고 그를 모시는 즐거움을 가질 수 있기를 바랍니다.

김대중 대통령 시카고 방문

>>> 대심방 <<<

작년에 이어 내일부터 교구별로 대심방이 시작됩니다. 심방 제도가 있지만 특별한 일이 아니면 교우의 가정에 방문할 기회가 많지 않습니다. 대심방은 시기를 정하여 교역자와 구역장, 담당 장로와 권사가 팀이 되어 전 교우의 가정을 일제히 방문하는 것입니다. 대심방의 목적은 무엇보다 관계 형성입니다. 함께 교회 생활을 하지만 개인적으로 서로 만나는 기회가 별로 없기에, 교회를 대표하는 사람과 함께 가정에서 가까이 만나 잠깐이지만 서로 사랑과 관심, 기쁨과 어려움을 나누며 교제하는 것입니다. 가정의 형편을 알게 되면 목회자의 목회와 기도하는 일에 도움이 될 것입니다. 또한 심방팀은 하나님의 사절로서 가정의 신앙을 돕고 격려하며 가족과 함께 예배하고 축복하는 기도를 드리는 것입니다. 심방은 모두에게 유익한 시간입니다.

교역자 한 사람이 모든 가정을 심방하려면 시간이 너무 오래 걸리기에 교역자 4명이 교구를 분담하여 이전에 심방하지 않은 교구를 돌아가며 방문하게 됩니다. 이종형 담임목사는 1, 2, 5교구, 박요셉 목사는 4, 6, 8, 9(1/2)교구, 한태진 목사는 3교구, 배현석 목사는 7, 9(1/2)교구를 맡습니다. 하루 저녁 7시에서 10시까지 세 가정을 심방하려고 합니다. 구역장이 연락할 때 날짜와 시간을 정하도록 협력하여 주시기를 바랍니다.

심방을 시작하며 부탁드릴 것이 있습니다. 무엇보다 모든 가정이 심방에 참여할 수 있도록 배려하여 주시기를 바랍니다. 시간이 잘 안 맞더라도 맞는 시간을 정하도록 노력해 주시기 바랍니다. 예배 시간에 가족이 같이 모이면 좋겠습니다. 특히 집에 있는 자녀가 함께 참여하는 것을 권합니다. 자녀들이 함께 예배하는 것은 바람직한 것이요, 심방자가 그들을 위하여 기도하는 것이 더욱 힘이 있을 것입니다. 심방하는 사람을 대접하려는 부담은 갖지 마시기 바랍니다. 대접해야 하는 마음이라면 간단한 다과로 충분할 것입니다. 친구가 만나는 것은 즐거움입니다. 짧은 시간이라 아쉬움은 있지만 이 심방을 통하여 교회가 더욱 하나 되고 사랑이 넘치게 될 것입니다.

□■ 목사와 교인의 만남 ■□

⟫⟫⟫ 교제하기 위해 오신 하나님 ⟨⟨⟨

사람은 다른 이와 관계를 맺고 살아가도록 되어 있기 때문에 혼자 있으면 외로움을 느낍니다. 그리고 혼자 살 수도 없습니다. 그러나 우리는 관계를 맺는 데 선택적입니다. 어떤 이와는 가까이 지내는가 하면 어떤 이와는 거리를 둡니다. 이런 거리는 그 관계가 나에게 어떤 영향을 주는가 하는 주관적인 판단에 근거합니다. 하나님과의 관계도 그러합니다. 하나님과 가까이하는 사람이 있는가 하면 또한 하나님을 멀리하는 사람이 있습니다. 이런 사람들은 하나님이 나와 비교가 안 되게 너무나 거룩하기에 무서운 분으로 생각되는 것입니다.

사순절, 부활절과 같은 교회 절기는 하나님께서 어떤 분이며 그가 우리를 위하여 하신 일이 무엇인가를 새롭게 기억하고 그와 더욱 가까운 인격적인 관계를 맺는 기회입니다. 집을 멀리 떠나 있으면서 자주 연락을 하지 못하던 가족들이 명절에 가족의 사랑과 결속을 기억하고 함께 모이는 것과 같다고 보겠습니다.

하나님은 오직 한 분 하나님으로 완전하고 거룩하시지만 혼자 계시기를 기뻐하지 않습니다. 함께 지내며 교제하기 위하여 자기 형상대로 사람을 만드셨습니다. 하지만 사람은 하나님을 거역하고 에덴을 떠났습니다. 하나님은 선지자를 보내어 사람들과 가까이할 의지를 보였지만 사람들은 여전히 자기 길로 걸어갔습니다.

그래서 하나님은 우리와 똑같은 사람의 몸을 입고 우리 가운데 오셨습니다. 우리와 가까이 교제하기 위해서입니다. 하나님은 교제에 방해가 되는 우리의 교만과 위선을 십자가로 담당하시면서까지 우리와 가까이 계시기를 원합니다. 주님께서 어떤 부족함이 있어서가 아니라 우리가 충만한 삶을 살도록 돕기 위해서입니다.

그렇다면 어떻게 해야 그를 가까이할 수 있겠습니까? 자주 만나고 자주 모여야 합니다. 깊은 대화를 나눌 수 있어야 합니다. 성경은 우리를 향한 하나님의 말씀이요, 기도는 하나님을 향한 우리의 이야기입니다. 우리의 마음과 삶을 공개할 수 있어야 합니다. 사순절 기간에 주님을 새롭게 이해하고 그와 더욱 가까이하여 풍성한 생명을 누릴 수 있기를 바랍니다.

⟩⟩⟩ 새로운 생명을 보기 위한 인내 ⟨⟨⟨

춘분이 지나고 오늘부터 서머타임이 시작되니 확실하게 봄의 기운을 느낍니다. 사람들의 옷차림이 달라지고 걸음걸이가 가벼워집니다. 닫았던 창문을 활짝 엽니다. 가슴을 젖히고 숨을 크게 쉽니다. 주변에 생명이 일어남을 봅니다. 죽었던 것 같은 대지에서 안개와 아지랑이가 일어납니다. 말랐던 나뭇가지가 볼록해집니다. 양지바른 곳에서는 벌써 새싹이 머리를 내밀고 있습니다. 무성한 잎과 아름다운 꽃을 내다봅니다. 차갑고 어두운 긴 겨울은 바로 오늘을 위한 준비였습니다.

새들도 분주합니다. 부지런히 지푸라기를 물어서 나릅니다. 굵은 줄기, 가는 솜털을 뜯어갑니다. 어느 사이엔가 집 문 앞 전등 위에 보금자리를 마련하였습니다. 앉아 있다가 문을 열면 놀라 날아갑니다. 둥지가 어떤가 들여다보았더니 예쁘고 파란 두 개의 알이 있습니다. 놀라게 하지 않으려고 차고로 드나듭니다. 암수가 교대로 24시간 알을 품고 있습니다. 곧 새로운 생명이 태어날 것입니다. 새로운 생명을 위하여 이들은 인내하며 고통을 이겨내고 있습니다.

생명 탄생에는 겨울의 죽음과 알을 품는 긴 인내가 있습니다. 우리의 생명도 그러합니다. 열 달 동안 어머니의 고통과 인내가 있습니다. 출산하는 아픔이 온 후에 생명의 환희가 있습니다. 새로운 영적 생명 탄생도 그러합니다. 예수 그리스도의 십자가는 무섭고 차가운 겨울입니다. 자기 백성이 받아 주지 않는 외면입니다. 무죄한 줄 알면서도 처형을 선포한 무법입니다. 사랑과 용납이 사라진 슬픔입니다. 이는 십자가 죽음 후에 죄인을 받아 주고 사랑으로 용서하기 위한 길을 열기 위함입니다.

그리스도의 십자가는 죄인을 품어 주는 하나님의 사랑의 가슴입니다. 그 품은 어느 누구에게나 열려 있습니다. 찾아가는 사람, 안기는 사람에게 참 평안과 위로를 주며 새로운 생명으로 태어나게 합니다. 사순절은 새로운 생명을 보기 위한 겨울이요 고통스런 인내입니다. 바로 우리를 위해 하나님께서 준비하신 것입니다.

>>> 부활주일 아침 <<<

영광스런 부활주일 아침, 우리 모두가 부활하신 예수 그리스도를 만나는 감격과 부활의 새 생명을 누릴 수 있기를 기원합니다. 예수님께서는 부활하셔서 지금도 살아 계십니다. 예수님께서 부활하셔서 우리의 죄를 용서하고 영원한 생명을 주시기 위해서는 그가 십자가에서 죽고 무덤에 장사되는 일이 있어야 했습니다. 죄가 없기에 고통을 당하거나 죽어야 할 이유가 없는데도 그는 우리 대신 고난을 겪고 죽음을 당하였습니다.

지난 2주간 동안 "예수님을 만난 사람들", "예수 그리스도는 누구신가"라는 주제로 특별 새벽기도회를 가졌는데 매일 새벽 평균 4-50명의 교우들이 참석하였습니다. 수난주간 월요일 아침 8시부터 어제 토요일 낮 12시까지 총 124시간의 연속기도에는 70여 명이 참석하여 진행하였습니다. 기도하는 열정이 있는 것은 너무나 감사한 일입니다. 자신과 가정의 신앙에 대한 기도 제목을 가지고 기도하기도 하지만 교회와 선교사, 세계를 위한 일치된 중보기도도 있었습니다. 하나님께서는 기도를 들으시고 분명히 응답하십니다. 성극부에서는 약속 공연을 위한 헌신적인 수고가 있었습니다. 또한 많은 사람은 금요일을 전후하여 금식을 하였습니다. 어떤 사람은 평생 처음으로 금식을 하며 배고픔과 고난을 경험하였습니다. 예수님께서는 우리의 죄를 용서하시고 평안을 주시기 위하여 십자가를 지셨는데 우리가 왜 이런 고난을 경험해야 합니까? 그것은 구원을 얻기 위해서가 아니라 바로 주님의 자기 포기를 조금이나마 경험하고 그와 더욱 가까워지려는 의도입니다. 또한 자기 중심적인 삶에서 주님 중심으로 삶의 방향을 전환하려는 노력입니다.

많은 사람은 살아서 주의 재림을 맞이하는 것을 소원합니다. 그러나 영국의 스펄전 목사는 죽고 난 뒤에 주의 재림을 맞아 부활하기를 원하였습니다. 그는 주께서 경험한 죽음의 고통, 장례와 부활을 맛봄으로써 주님과 더욱 가까워지고 그와 나눌 이야기가 많아질 것이라고 하였습니다. 주님의 고난에 동참한 사람들을 주께서 기뻐하시고 즐거워하실 것입니다.

>>> 4월의 함성: 생명의 문을 여는 소리 <<<

4월의 함성이 크게 들리는 계절입니다.

타락한 부정 선거와 독재체제에 항거하는
순수한 젊은이들의 분노의 소리였습니다.
무너지는 소리, 일으키는 소리가 함께하였습니다.
4·19 희생의 붉은 피는 새 생명을 탄생시켰습니다.

또 다른 4·19에 186명의 생명을 앗아간
오클라호마 연방청사 폭파 소리는
와코의 다윗 종파를 향한 정부 처사에
분노한 함성이었습니다.
콜럼바인 고등학교에서 일어난 끔찍한 총성도
소외된 인간 심령이 부르짖는 소리였습니다.
잔인한 분노의 계절 4월에 일어난 일들입니다.

십자가에 못 박으소서 외치는 군중의 소리,
무자비한 로마인의 무거운 망치 소리와 함께
예수님께서는 십자가에서 몸을 찢고 피를 흘렸습니다.
빛과 생명을 삼키는 어둠과 죽음이었습니다.
"저들의 죄를 용서하소서, 저들이 알지 못하고 있습니다."
불법과 죽음을 무너뜨리는 소리였습니다.

무덤의 문이 열렸습니다. 주께서 부활하셨습니다.
믿는 자에게 영원한 생명을 주셨습니다.
죽음의 겨울이 생명을 말살하는 것 같아도
4월의 함성은 부활과 생명의 문을 여는 소리입니다.

>>> 교회 설립 **37주년**을 맞아 <<<

본 교회 설립 37주년을 맞아 교회를 시작하고 인도하며 축복하신 하나님과 오늘의 교회가 있도록 함께 섬겨 온 여러분에게 감사를 드립니다. 그동안 교회 이름이 두 번 바뀌었고 예배 장소는 현재 위치가 일곱 번째 것이며 교단 노회 관계도 세 번이나 변화가 있었지만, 하나님께서 한결같이 인도하신 것을 감사합니다. 처음 시작은 1964년 4월 5일이지만 부활주일과 겹쳐지는 것을 피하고자 1998년 4월 마지막 주일을 설립감사주일로 정하고 다섯 분의 장로님이 65세 정년으로 은퇴했습니다. 오늘 다시 네 분의 장로님이 은퇴를 하게 되었습니다. 이들의 헌신과 노고를 치하하며 하나님의 축복과 위로가 이들과 함께하시기를 축원합니다.

37년을 맞은 교회의 과거와 현재에 감사를 드리며 미래를 향한 꿈과 기대를 성경과 찬송에 나오는 37장과 연관하여 찾아보고 싶습니다. 요셉은 꿈 때문에 형들에게 미움을 받고 애굽으로 팔려 갔습니다. 그러나 그의 꿈은 이스라엘의 장래를 위한 든든한 바탕이 되었습니다(창 37장). 우리 교회는 꿈의 사람들로 시작되었고 이제 다시 새롭게 비전 2020으로 새 역사를 세워 가고 있습니다. 출애굽기 37장에서 모세는 하나님의 지시대로 하나님의 처소요 이스라엘의 중심인 성소와 지성소에 들어갈 기구들을 조각목과 금으로 만듭니다. 조각목은 아카시아 나무 계통으로 벌레가 먹지 못하도록 단단하고 아름다운 무늬를 가지고 있으며 금은 불변하는 것입니다.

우리 교회는 하나님을 중심에 모시고 굳세고 아름다운 순수한 믿음의 공동체가 되기 위하여 하나님의 입에서 나오는 말씀을 들어야 합니다(욥 37장). 또한 어떤 형편이든지 그것을 하나님께 맡겨드리고(시 37편), 하나님에게 가지고 가서 기도하며(사 37장), 그의 말씀을 기다리는 가운데(렘 37장) 우리 모두가 말씀과 성령의 역사로 새 생명을 가지는(겔 37장) 하나님의 군대가 되기를 원합니다. 구원의 감격을 가진 교우들이 주 예수 이름 높이어 만유의 주를 찬양하는(찬송가 37장) 교회, 하나님의 영광과 능력으로 세상을 변화시키는 교회가 될 것을 기대합니다.

교회 설립 37주년을 맞아

>>> 어머니 주일 <<<

온 세계 교회가 어머니 주일로 지키는 오늘, 모든 어머니에게 하나님의 풍성한 위로와 평강이 함께하기를 기원합니다.

솔로몬 로젠버그와 그의 가족에 대한 이야기가 있습니다. 솔로몬과 그의 부모, 아내와 두 아들이 유대인이라는 것 때문에 체포되어 나치의 강제수용소에 보내졌습니다. 그곳의 법은 간단합니다. 일할 수 있는 동안은 살지만 일할 수 없으면 끝이었습니다. 솔로몬은 연세 많은 그의 부모가 죽음의 자리로 끌려 나가는 것을 보아야 했습니다. 다음 차례는 병약한 둘째아들 다윗임을 알았습니다. 솔로몬은 종일 긴 시간 동안 노동을 하고 밤마다 수용소 방에 돌아오면 사랑스런 가족의 얼굴을 찾고는 서로 껴안고 하루를 더 주신 하나님께 감사의 기도를 드렸습니다. 어느 날 솔로몬이 돌아왔을 때 가족의 얼굴이 보이지 않았습니다. 한쪽 구석에 큰아들 여호수아가 웅크린 채 울며 기도하고 있었습니다. 어떻게 되었는지 물었더니 그날 다윗은 일할 힘이 없었기에 사람들이 그를 데리고 나갔다는 것입니다. "그렇다면 엄마는 어디 있니?" 하고 급하게 묻는 아빠의 질문에 아들이 말합니다. "다윗이 무서워 울었어요. 엄마가 다윗에게 무서울 것이 하나도 없다고 하며 그의 손을 잡고 그와 함께 갔어요." 이것이 바로 어머니의 사랑입니다.

저는 가정에서 많은 사랑을 받은 맏아들이었습니다. 어머님은 들에 일을 하러 가시고 할머니께서 주로 저를 길렀습니다. 초등학교 4학년 때 할머님이 돌아가시고 초등학교를 졸업하자 저는 공부하느라고 고향을 떠나게 되었습니다. 철이 들면서 부모님과 정을 나눌 시간이 많지 않았습니다. 그러던 중 대학 입학을 준비하며 몸이 약해졌습니다. 기침을 하더니 피를 토하였습니다. 폐결핵이었습니다. 당시에는 매우 무서운 병으로 약이 별로 없었습니다. 어머님은 사랑과 정성으로 좋다는 약과 음식을 모두 찾아냈습니다. 밤을 새워 저를 위해 기도하셨습니다. 저는 요양소에도 가게 되었습니다. 그 후에 건강을 되찾아 오늘에 이르게 된 것은 어머님의 사랑이요 하나님의 은혜임을 생각하며 감사드립니다.

⟩⟩⟩ 가정의 달 메시지 ⟨⟨⟨

가정은 부부가 결혼하면서 시작되는 것이기에 가정에서는 무엇보다 부부관계가 중요합니다. 부부의 행복은 두 사람만이 아니라 자녀에게도 달려 있습니다. 자녀는 부모에게 기쁨과 행복을 주기도 하고 때로는 아픔과 슬픔을 주기도 합니다. 무자식이 상팔자라는 말이 있는 것은 자녀로 인한 고통이 많기 때문이 아니겠습니까?

그러나 실상 태어난 아이가 어떤 사람이 되는가 하는 것은 어떻게 양육되고 자라나는가에 달린 것입니다. 어린아이는 하나님의 생명과 가능성을 모두 받아 태어나지만, 그의 인격과 삶은 백지와 같아서 누가 무엇을 그리고 채우는 대로 형성된다고 합니다. 가장 가까이 있는 부모가 그에게 가장 큰 영향을 미치고 그를 세워 나갑니다. 부모에 따라서 자녀가 다른 모습으로 형성되는 것입니다.

부모는 의식하든 의식하지 않든 자녀에게 있어 최고의 교사입니다. 자녀를 교육할 때에는 적어도 세 가지를 염두에 두어야 합니다. 먼저 교육의 목표입니다. 무엇을 위한 양육인가 하는 것입니다. 일반 학교에서는 지식과 기술을 가르쳐 생활인으로 살아가게 합니다. 우리 조상들은 홍익인간이라고 하여 널리 사람들을 유익하게 하는 사람을 기르고자 하였습니다. 성경에서는 예수 그리스도를 닮는 것이 양육의 목표입니다. 하나님을 사랑하고 사람을 사랑하며 섬기는 것입니다.

그 다음은 교육의 내용입니다. 교육에는 무엇을 가르치는 내용이 있습니다. 국어, 산수, 과학, 역사, 컴퓨터 같은 것도 알아야 하지만 무엇보다도 중요한 것은 하나님의 말씀인 성경입니다. 성경은 세상과 사람을 지으신 하나님의 뜻과 계획이요, 사람과 만물을 위한 지침서입니다. 컴퓨터는 어떻게 사용하라는 지침서대로 해야만 완전한 기능을 발휘합니다. 우리 인간은 하나님을 떠나서는 아무것도 할 수 없습니다.

마지막으로 교육 방식입니다. 교육 방식은 말뿐 아니라 행동이 중요합니다. 자녀는 보는 대로 부모의 모습을 따라서 합니다. 부모는 자녀에게 가장 좋은 모범이 됩니다. 하나님이 보시기 원하는 사람을 형성하도록 각 가정에 주신 자녀들이 하나님의 축복 가운데 양육되기를 바랍니다.

□■ 목사와 교인의 만남 ■□

>>> 내게 허락된 안식년 <<<

한미교회 37년 역사에 처음으로 담임목사에게 두 달의 안
식년 휴가를 허락하도록 당회가 결정하고, 부족한 제가
그 혜택을 누리게 되어 감사합니다. 한인 교회로서는 어머니 교
회와 같이 오래된 한미교회이지만 그동안 담임목사들이 안식년
을 가질 만큼 오래 사역하지 못한 점도 있으나 이민 초창기에 생
존이 급급한 형편에 안식년이라는 것을 감히 상상하지 못하기도
하였습니다. 온 교우들이 고생하며 쉴 날 없이 일하고 있는데 담
임목사가 휴가를 가진다는 것은 어느 면에서 사치스러운 것 같
아 휴가라는 말을 사용하지도 못하는 실정이었습니다. 이제 이
민 한 세대가 지나가는 시점에 접어들면서 생활이 안정되고 휴
가라는 것이 낯설지 않게 되었습니다. 이러한 때에 많은 교회가
안식년 제도를 가지는 것을 봅니다.

안식년은 성경적입니다. 누구나 6일 동안 열심히 일한 후에
제7일은 하나님과의 관계를 확인하며 여호와께 거룩하게 예배

하는 안식일로 지키게 하였습니다. 안식년은 종이 6년 동안 일한 후에는 제7년에는 그에게 자유를 주는 것이요, 6년 동안 밭에 경작을 하면 제7년에는 그 밭을 경작하지 않고 묵혀서 땅을 쉬게 하라고 하나님께서 규정하신 것입니다. 이는 어느 면에서 열심히 일한 대가이기도 하고 또한 더욱 효과적으로 일하기 위한 준비이기도 합니다.

제가 본 교회에 부임한 지 만 7년이 되었습니다. 일한 성과를 묻는다면 너무나 부족하지만 쉬지 않고 열심히 일한 것에 대해서는 담대하게 말할 수 있습니다. 안식년 휴가는 영육을 소성시키고 자신을 돌아보며 새롭게 일하도록 하는 좋은 기회라고 봅니다. 금년은 저의 목사안수 30주년이 되기도 하여 이번 안식년 휴가는 저의 목회와 삶을 돌아보는 기회도 될 것입니다. 이번에는 이집트 현지 목회자들을 위한 세미나 인도가 있지만 주로 성지와 함께 장로교를 시작한 칼빈의 개혁지를 돌아보며 영감과 은혜를 새롭게 받기를 원합니다. 좋은 기간이 될 수 있도록 기도를 부탁드립니다.

>>> 안식년 휴가 4주간을 은혜롭게 마치고 <<<

안식년 휴가 4주간을 은혜롭게 마치고 아내와 함께 건강하게 돌아오게 된 것을 참으로 감사합니다. 매일 새롭게 걸음마다 지켜 주신 하나님께 감사를 드립니다. 그동안 스태프들과 온 교우들이 계속 기도하여 주신 것에 감사드립니다. 직장생활을 하는 사람에게는 휴가가 쉬운 것일지 몰라도 자영업을 하거나 큰 책임을 맡고 있는 사람에게는 부담이 있습니다. 부재중에 어떤 일이 있을지 모르기 때문입니다. 교회를 책임진 담임목사에게도 같은 부담이 있습니다. 아울러 교우들이 담임목사의 출타를 좋아하지 않을 수도 있습니다.

이번 저의 출타는 믿음에서 출발했습니다. 교회의 머리이신 주께서 교회를 직접 책임지고 돌보아 주실 것이라는 믿음이었습니다. 동시에 함께 주의 종으로 부름 받은 동역 교역자들이 저와 똑같은 심정으로 책임 있게 교회를 섬길 것이라는 믿음이었습니다. 또한 함께 섬기는 장로님들과 여러분이 더욱 잘 살피며 섬길 것이라는 믿음이었습니다. 멀리 있지만 목사와 교우들이 기도로 더욱 가까워질 것이라는 믿음이었습니다. 이 모든 것이 현실로 이루어지게 되었으니 참으로 감사한 것뿐입니다.

이번 여행은 하나님께서 주신 복이었습니다. 모든 것이 예정대로 진행되었습니다. 이집트 현지 목회자 세미나 인도가 중심이었는데 주께서 크신 은혜를 베풀어 주셨습니다. 이미 많은 분들이 성지를 방문하고 공동으로 느끼는 것이겠지만 요르단, 이스라엘, 애굽(이집트)은 모두 성경과 관련된 곳으로 하나님이 일하신 흔적과 지금도 그가 살아 계시며 일하고 계심을 체험할 수 있었습니다. 그리스도의 복음이 회교도와 유대교 세력의 그늘에 있는 것 같지만 모든 사람에게 구원을 주시는 능력의 복음이 여전히 활동하고 있음을 봅니다. 독일과 스위스에서는 오직 말씀에 근거하여 날마다 자신과 교회를 새롭게 하는 개혁자 칼빈과 츠빙글리, 루터의 숨결을 느낄 수가 있었습니다. 저의 심령이 주님과 더욱 가까워지고 새로워짐을 발견하였습니다. 이 모든 것이 하나님의 은혜요, 여러분의 기도와 후원이므로 참으로 감사한 것뿐입니다.

안식년 휴가 4주간을 은혜롭게 마치고

>>> 제30회 **교단 한인교회협의회** 연차총회 <<<

지난 화요일부터 금요일까지 제30회 교단 한인교회협의회 연차총회 및 전국대회가 시카고에서 열려 전국 360개 한인 교회 대표 350여 명이 모였습니다. "새 시대를 여는 평신도" 라는 주제로 평신도 지도력을 활성화하고 21세기 교회를 새롭게 하자고 다짐했습니다. 한 세대 30년 만에 처음으로 평신도가 주제 강사가 되고, 예배와 다른 순서를 목사 아닌 평신도들이 많이 진행하였습니다. 평신도만이 아니라 목사도 크게 힘을 얻었습니다. 목사는 교회에서 평신도를 훈련하고, 교회의 사역은 평신도들이 팀을 이루어 수행하는 것이 바람직하다는 것을 이해하였습니다. 우리 교회에서도 제자 양육과 훈련을 통하여 평신도들이 사역하며 섬기도록 하고 있습니다.

총회에는 목사만 아니라 평신도인 남녀선교회 대표, 사모회, 2세 대표, 청소년들도 함께 모여 서로 친교하고 배우며 영적으로 새로운 도전과 충전을 받았습니다. 미국 6개 지역으로 돌아가며 모이지만 시카고에서는 16년 만에 모이는 것이라 준비위원회가 구성되어 헌신적으로 준비하였습니다. 우리 교회에서도 준비위원으로 참여했고, 수요일 저녁을 대접하고 예배를 인도하였으며, 버스를 제공하여 교통편을 도왔습니다. 본 교회를 방문한 모든 분들이 만족하며 좋아하였습니다. 아름답게 봉사한 모든 분들에게 진심으로 감사를 드립니다.

협의회에서는 500개 교회를 목표로 개척 교회 설립에 힘을 기울이고 있으며, 회원 교회의 선교 현황 조사에 응한 75개 교회가 연간 약 200만 달러를 선교에 사용하고 있습니다. 각 교회들이 교단 세계 선교부와 관련하며 서로서로 협력하여 선교하면 더욱 효과적으로 선교할 수 있다는 것을 이해하고 협력 선교를 추진하고 있습니다.

최근에는 특히 동성애 운동이 교회를 침식하려 하고 있습니다. 이러한 때에 총회는 창조의 원리와 성경의 가르침에 따라 일남 일녀의 결혼 원칙을 준수하고 교회와 교단을 순수하게 지켜 나가도록 다짐하며 성삼위 하나님께서 승리하실 것을 확인하였습니다.

>>> 기억에 남는 산 <<<

시카고와 미국 중서부 지방은 끝없이 펼쳐진 평원과 호수들이 있어 아름답고 시원합니다. 마음도 많이 넓어지는 것을 느낍니다. 그러나 한국에서 온 우리들이 이곳에서 살며 아쉬워 하는 것이 있다면 산이 없다는 것입니다. 한국은 70%가 산이라 눈만 뜨면 어디서나 산을 볼 수 있고 산에 오를 수도 있습니다. 서울도 산으로 둘러싸여 있고 어느 산에나 등산길이 사람들로 메워집니다. 산에 올라 '야호'를 외치고 기지개를 펴며 심호흡을 하는 것은 참으로 심신을 새롭게 해줍니다. 산골 출신인 저는 그동안 산을 보지도 오르지도 못했는데, 지난 6월 한 달 동안 여행하면서 많은 산에 올라 보충하고 회복하였습니다.

산은 여러 가지가 있었습니다. 헤롯 왕이 만든 마사다와 마카리우스, 에돔 족이 살던 페트라는 산성 요새였습니다. 케락, 암몬, 헤스본, 시온 등도 모두 산성입니다. 중동에서는 사람들이 산꼭대기에 집을 짓습니다. 외부의 침입이 어렵고 기후가 시원하며 평지에는 농사를 짓기가 편리하기 때문이라고 합니다. 모세가 마지막으로 올랐던 느보 산에서는 헤르몬 산에서 가나안까지 한눈에 보였습니다. 하나님께서 약속하신 땅을 소유하는 꿈을 가지며 시야를 넓혔습니다. 유럽의 정상이라는 스위스의 알프스 융프라우 산은 얼음으로 덮여 있지만 기차로 꼭대기까지 올라갈 수 있고 스키와 관광을 즐기는 이들에게 기쁨을 줍니다. 이집트 룩소의 왕의 계곡 산은 모두가 긴 굴의 안전한 무덤으로 변하여 있었습니다.

인상적인 것은 겟세마네 동산, 갈멜 산, 시내 산이었습니다. 겟세마네는 작은 동산이었으나 예수님께서 십자가를 앞에 두고 기도하며 아버지의 뜻을 받아들인 곳입니다. 갈멜 산은 엘리야가 하나님께서 살아 계신 것을 증거한 곳입니다. 불에 구워진 듯 붉고 험한 바위의 시내 산은 모세가 훈련받으며 하나님을 만나고 율법을 받은 곳입니다. 모세는 여기서 하나님을 가까이 느꼈습니다. 지금도 웅장한 그 산 앞에서 하나님의 임재를 느끼게 됩니다.

>>> 서로를 받아 주는 쿠션이 심령과 삶에 생길 때 <<<

가족을 한국에 두고 혼자 미국으로 유학을 떠나올 때 아내가 제게 부탁한 말 중의 하나는, 미국에 가면 고기 많이 먹고 살 좀 찌라는 것이었습니다. 당시 저의 체중은 57킬로그램 곧 125파운드였습니다. 결혼하기 전부터 계속 그 체중이었습니다. 제가 몸이 약하여 소화불량이 잦고 감기가 자주 걸리니 음식 좋은 곳에서 건강해지라는 말이었습니다. 학교 식당 주방장이 몸이 건실하기에 살찌는 비결을 물었더니 쌀을 많이 먹으라고 했습니다. 내 평생 쌀을 먹었다고 했더니 아이스크림을 많이 먹으라고 권하였습니다. 그 후 아이스크림을 통째로 들고 앉아 먹었지만 결혼 20년간 체중에는 변화가 없었습니다. 누군가가 나이 들어야 살이 찐다고 하였습니다. 사실인지 모르지만 한국에 나가 교수를 하다가 다시 돌아온 이후부터 조금씩 살이 붙기 시작하더니 얼마 안 가서 20파운드가 늘어나고 그 후 15년 동안 그 체중을 유지하고 있습니다.

　체중이 늘고 난 뒤에야 아내가 왜 내게 살찌라고 하였는지 그 이유를 알 것 같았습니다. 결혼 20년 동안 아내를 안으면 아내의 반응은 언제나 아프다는 것이었습니다. 뼈가 찌른다는 것입니다. 그러나 체중이 늘고 난 뒤에는 아프다는 소리는 없어지고 촉감이 좋고 만지기도 좋다는 것이었습니다. 여기서 20파운드의 효과를 알게 되었습니다. 20파운드가 두 사람 사이에 쿠션 역할을 하고 있습니다. 무릎의 관절을 연결하는 데도 쿠션이 필요합니다. 쿠션이 닳거나 깨지면 뼈가 서로 부딪히고 아파서 걸음을 제대로 걸을 수가 없습니다.

　골짜기의 마른 뼈가 서로 찌르며 소리를 내고 있었지만 에스겔의 대언과 생기로 뼈에 살이 덮이고 큰 군대가 되어 일어났습니다. 사람 사이에 뼈가 부딪히듯 서로를 아프게 하고 불필요한 소리를 낼 때가 많습니다. 하나님의 말씀과 성령이 임하고 다스림으로 서로를 받아 주는 쿠션이 심령과 삶에 생길 때, 사람 사이에 사랑과 조화가 있는 복된 삶이 될 것입니다.

서로를 받아 주는 쿠션이 심령과 삶에 생길 때

>>> 세코이야 나무와 브릿슬콘 파인 <<<

사람은 누구나 건강하게 오래 살기를 원합니다. 성경에 나오는 인물 가운데 최장수자는 므두셀라로 969세를 살았습니다. 노아 이후에 사람의 수명은 120세가 되었고 모세가 그만큼 살았습니다. 사람이 해부학적으로 120년까지 살 수 있다지만 현재 미국의 평균 수명은 약 75세입니다. 앞으로 평균 수명이 100세가 되는 데는 과학과 섭생의 발달과 함께 40년은 더 걸릴 것이라고 합니다. 오래 사는 것도 좋은 일이지만 어떻게 사는가 하는 것은 더 중요합니다.

생물 가운데 대개 나무가 장수합니다. 나무 중에 가장 오래 사는 것은 캘리포니아 세코이야 국립공원에 있는 3천 년 된 세코이야 나무로 알고 있었는데, 같은 캘리포니아의 해발 4,300미터 화이트마운틴에 있는 브릿슬콘 파인은 4,600년을 살고 있다고 합니다. 브릿슬콘 파인이 오래 사는 비결은 가지와 잎이 거의 없이 몸통 전체가 뿌리로 이루어져 있고 그 나무가 스스로 성장을 억제하고 있기 때문이라고 합니다. 모양이 예술품처럼 보이기는 하지만 활동이 없이 스스로의 생명을 유지하는 것에 불과해 보입니다.

예수님께서 마지막으로 기도하신 겟세마네 동산에는 2천 년이 된 감람나무가 있습니다. 이 나무는 속이 썩고 비어 있으며 그 자리에서 순이 나와 뻗어가고 열매를 맺고 있습니다. 자기를 죽이고 비우며 거기서 생명을 새롭게 탄생시키는 것은 바로 그리스도와 그의 제자의 삶입니다. 쭉쭉 뻗어 올라간 세코이야 나무는 스스로 좋은 재목이 될 수 있습니다. 브릿슬콘 파인은 장수해도 별로 쓸모가 없이 자기만을 위해 살고 있습니다. 그런가 하면 감람나무는 자기를 죽이면서 후대를 세우고 계속 열매를 맺고 있습니다.

최장수의 므두셀라는 하나님과 동행한 에녹의 아들입니다. 생명의 하나님과 올바른 관계를 맺고 사는 사람은 하나님의 집에 심기어 홍왕하고 늙어도 결실하며 진액이 풍족하고 빛이 청청하게 됩니다. 장수하면서 하나님을 기쁘시게 하고 생명을 일으키는 축복이 있기를 바랍니다.

세코이야 나무와 브릿슬콘 파인

>>> 홍수와 지진의 영향을 받지 않는 영원한 것 <<<

지 난 목요일 출근 시간 즈음에 시카고 지역에는 1시간 동안
에 4인치 곧 100mm의 폭우가 쏟아지고 각 곳에 홍수가
났습니다. 로렌스 길과 레이크쇼어 길이 만나는 곳에서는 갑자
기 물이 6자나 불어나서 차가 물속에 잠기고 길이 끊겼습니다.
20만 가구 이상의 지하실이 침수되었습니다. 얼마 전 서울에도
폭우로 같은 어려움이 있었습니다. 인간의 도시 계획과 기술이
비웃음을 당하는 것 같았습니다.

홍수만 아니라 다른 천재지변도 있습니다. 지진은 약 20초
동안만 땅을 흔들어도 인간이 쌓아올린 모든 업적을 충분하게
무너뜨립니다. 땅이 갈라지고 산을 삼키며 큰 계곡을 만들기도
합니다. 로스앤젤레스, 일본, 터키 등이 그것을 실감하였습니다.
지진으로 그 숱한 옛 문명이 땅 속으로 들어가고 흔적조차 없어
진 것도 많습니다. 고고학자의 발굴에 의하면 이스라엘의 므깃
도에는 고대 문명이 25번이나 땅 속에 묻혔다고 합니다.

이런 형편에도 우뚝 솟아 있는 것이 있습니다. 홍수와 지진의 영향을 받지 않는 영원한 것입니다. 바로 하나님의 나라와 그의 뜻입니다. 하나님은 진동치 않는 것을 영존하게 하기 위하여 땅과 하늘을 진동시킨다고 하십니다.

인간 세상은 조석으로 변합니다. 우방 나라가 이해관계로 인하여 갑자기 대립하는 원수로 변합니다. 정치에서는 친구가 정적으로 바뀝니다. 당신 없이는 못살겠다고 하던 부부 사이에 날벼락 재난이 오고 갈라지기도 합니다. 다윗이 신뢰하며 함께 상에서 떡을 나누던 친구가 그를 대적하여 발꿈치를 들었습니다. 인간이 쌓아올린 모든 관계가 하루아침에 무너지는 것이 삶의 현실 같습니다. 예수님께서는 그가 믿던 친구들에게서 버림을 받았지만 하나님 아버지와의 깨어지지 않는 영원한 사랑의 관계를 확인하며 배반한 제자들을 사랑으로 붙들고 회복시켜 주었습니다. 어떤 재난이라도 우리를 그리스도의 사랑에서 끊을 수 없습니다. 우리는 그리스도 안에서 영원한 기쁨과 사랑을 함께 누릴 수 있습니다.

>>> 물 <<<

태초에 하나님이 천지를 창조하셨지만 많은 사람들은 세상의 기원에 대하여 여러 가지 이론을 말하고 있습니다. 기원전 6세기의 탈레스라는 철학자는 세상은 물로 시작되었다고 하였습니다. 밀레도 섬 출신으로서 보이는 것이 모두 지중해 바다뿐이니 그렇게 믿을 수도 있었을 것입니다. 하나님이 사람을 흙으로 만드실 때 물은 중요한 역할을 하였다고 봅니다. 물로 흙을 이겨 사람의 모양을 만들었을 것입니다. 지구 표면의 70%가 물로 덮여 있고, 사람의 몸도 75%가 물로 되어 있기에 물은 우리 삶에 핵심적인 요소임에 틀림없습니다.

물이 없는 곳은 사막이요 광야입니다. 아프리카라고 하면 사막처럼 생각되지만, 아프리카라도 물이 있는 곳은 사람과 자연, 동물이 마음대로 활동하는 아름다운 동산이라고 합니다. 풍요로운 미국이라 하여도 물이 없으면 메마를 수밖에 없습니다. 로스앤젤레스와 라스베이거스는 비가 많지 않아 사막과 같았지만 멀리서 물을 끌어들여서 오늘날 낙원과 같이 되었습니다. 중동의 광야에도 연간 25mm의 비가 내리고, 사막에도 오아시스와 우물이 여기 저기 있기에 생명이 살 수 있습니다. 사막에서 물은 바로 생명이기에 우물을 두고 전쟁이 일어나기도 하였습니다.

무더운 여름철이라 땀을 많이 흘립니다. 땀은 바로 물이기에 이를 보충하지 않으면 탈수증으로 몸이 기능을 제대로 발휘하지 못하고 흙이 이지러지는 현상이 생깁니다. 맑고 깨끗한 물을 많이 마시는 것이 중요합니다.

예수님께서는 사람에게 냉수 한 그릇 대접하는 것에 대한 보상을 말씀하였습니다. 냉수를 대접하는 것은 생명과 관련된 일입니다. 요즘같이 더운 때에는 냉수의 소중함을 참으로 실감하고 있습니다. 여름이 아니라도 인체의 수분을 조절하기 위하여 하루에 6-7컵의 물을 마시는 것이 건강을 크게 돕습니다. 비단 마시는 물만 아니라 격려하는 말 한마디, 친절한 작은 행동 하나가 우리 삶과 인간관계를 건강하고 부드럽게 하는 생명의 역할을 합니다.

236

>>> 우리의 인생 꽃 <<<

꽃은 아름답습니다. 나비와 벌만 아니라 사람도 꽃을 사랑합니다. 좋은 일이나 궂은 일에 꽃은 축하와 기쁨이 되고 위로와 힘도 됩니다. 부자도, 가난한 자도, 어른도, 어린이도 모두 꽃을 좋아합니다. 한때 철의 장막이던 러시아에 사는 사람도 꽃을 여러 모로 사용하였습니다. 사람은 꽃을 가까이에 두고 싶어합니다. 꽃이 피는 정원을 가지고 싶어합니다. 봄과 여름만 아니라 가을과 겨울에도 꽃을 보기를 원합니다. 정원에서 일하는 사람은 보기도 좋고 향기도 좋은 꽃을 피우기 위해 많은 노력을 합니다.

아름다운 꽃에도 아픔이 있습니다. 수명이 오래 가지 못한다는 것입니다. 양란 같은 꽃은 한 번 피면 두세 달 가는 것도 있지만 대개는 화무십일홍이라고 하듯이 쉽게 시들고 맙니다. 특히 나팔꽃은 수명이 너무나 짧습니다. 영어로 그 이름이 모닝 글로리 곧 아침의 영화라고 하는데, 해가 돋는 시간에 피어 나팔을

울리듯 아름다움을 자랑하다가 두세 시간도 못 되어 입을 다물고 시든다는 의미입니다. 이것이 아름다움의 전체입니까? 꽃은 시들면 끝나고 마는 것입니까? 내일을 기약하는 길이 무엇입니까? 꽃은 시들지만 열매를 맺는 것입니다. 맺힌 열매는 떨어지고 튀어나가 생명을 번식하고 후세를 일으킵니다. 열매를 맺지 못하는 꽃은 든든한 뿌리를 가지고 새순을 피워 내며 꽃을 보기를 기다립니다. 인생은 풀과 같고 그 영광은 꽃과 같습니다. 잠시 인생 무대에서 아름다움을 자랑하다가 사라지고 마는 꽃들이 많습니다. 열매도 뿌리도 남김이 없이 가는 것입니다.

그리스도 안에 있는 사람은 아름다운 성령의 열매와 함께 믿음의 든든한 뿌리를 남길 수 있습니다. 자녀들만 아니라 믿지 않는 자나 새 교우들은 먼저 믿는 자를 통하여 아름다운 꽃을 보며 동시에 열매와 뿌리를 받기를 원합니다. 여러분의 인생 꽃에 열매와 뿌리가 있기를 바랍니다.

>>> 중심을 보시는 하나님 <<<

얼마 전 병원으로 심방을 갔다가 옆방에 한국인 집사님이 있다는 말을 듣고 그를 위해 기도하기 위하여 들렀습니다. 나를 소개하였더니 텔레비전에서 봐서 잘 알고 있다고 하더니 "텔레비전에서 보던 것보다 잘 생겼네요"라고 말했습니다. 나는 그에게 잘 봐 주어서 고맙다고 하면서 병세를 물어 보고 그를 위하여 간절히 기도하였습니다. 열흘 가까이 입원하고 있지만 의사가 그의 병명을 찾아내지도 못하고 원인도 모르고 있다고 하니 얼마나 답답하고 괴롭겠습니까? 그런데 목사가 자신을 찾아와서 기도해 준다니 얼마나 감사한 일이었겠습니까? 자신을 위해 기도해 준다는 사람이 어찌 못생겨 보이겠습니까? 내 모습이 달라진 것이 아니라 봐 주는 사람의 마음에 따라 달라 보인 것이라고 생각됩니다.

사람들은 누구나 외모에 관심이 많고 외모에 따라 판단하는 경향을 갖고 있습니다. 젊은이들은 결혼 대상자를 선택할 때 잘

생긴 사람, 예쁜 사람을 먼저 고려하고 있습니다. 친구를 사귀거나 직장에서 사람을 채용할 때도 외모를 많이 봅니다. 이 때문에 저는 손해를 보고 제대로 대우를 받지 못할 때가 있었지만 세상이 그런 것이라고 생각하며 이해합니다. 사실 겉으로 보는 것과는 다른 것이 너무 많습니다. 겉으로 보기에는 멀쩡하고 건강해 보여도 속은 병이 들고 썩어 있는 사람이 많습니다.

하나님은 외모를 보지 않고 중심을 보십니다. 이스라엘에 비교할 만한 사람이 없을 정도로 잘생긴 사울 왕이었지만 하나님 앞에서는 실패자였습니다. 그러나 고운 모양도 없고 풍채나 흠모할 만한 아름다운 것이 없어 사람들에게 멸시와 미움을 받은 메시아는 바로 우리의 구원자가 되었습니다. 하나님은 표면적 성도가 아니라 이면적 성도 곧 참 성도를 찾습니다.

우리는 사람을 외모로 알고 있습니까? 혹은 내면으로 알고 있습니까? 누구나 깊은 사정이 있습니다. 마음을 열고 주고받으며 속사람을 이해하고 그의 아름다움을 발견하고 용납하는 것이 서로를 행복하게 해줍니다.

>>> TV 방송 선교를 중단하며 <<<

본 교회가 1998년 5월 4일부터 지난 8월 27일까지 3년 4개월 동안 텔레비전 채널 28을 통하여 매주 월요일 저녁 한미 등대방송으로 지역 선교에 참여하는 기회와 축복을 가진 것을 감사하게 생각합니다. 처음 시작할 때 한미 텔레비전이 생겨 하루 12시간 한국 방송을 하지만 복음 방송은 없는 것을 알고 지역사회 선교를 위해 시카고 지역에서 유일하게 한미교회가 그 일을 맡았습니다. 교민들에게 복음의 소식을 전하는 것이 중요한 목적이었습니다. 시카고 한인 주민 가운데 교회와 관련된 분들이 다른 지역에 비해 소수라는 것이 알려져 있는데, 이들에게 복음을 전하여 사람들을 그리스도에게로 인도하자는 취지였습니다. 믿음은 들음에서 나는 것이라 이미 한미 라디오와 기독교 라디오로 매주 한 번씩 말씀을 증거해 왔지만 더욱 효과적인 매체인 텔레비전을 선교의 도구로 사용한 것입니다. 한국어 채널이 하나밖에 없는 데다 한미 등대방송이 저녁뉴스 시간 다음에 연결되기에 많은 사람이 시청하고 복음을 접하게 된 것은 감사한 일입니다.

방송의 또 다른 목적은 시청자를 교회와 가깝게 하자는 것이었습니다. 주일예배 설교를 녹화하여 방송함으로써 일반 스튜디오와 달리 사람들을 교회당의 분위기와 익숙해지게 했다고 봅니다. 사람들이 더욱 한미교회를 잘 알게 되고 친근감을 가지게 되었으며 담임목사인 저와도 구면이 되어 복음 전도에 일익을 담당하여 사람들이 교회를 찾도록 하였습니다.

이제 지역 형편이 많이 달라졌습니다. 기독교 텔레비전이 생겨 복음 증거의 기회가 많아지고 프로그램도 다양해졌으며 많은 교회가 참여하고 있습니다. 주일 설교가 편집 없이 방송되기에 설교가 교회의 특수성보다는 전체적인 일반 대중을 고려한 것이었는데 이제는 우리 교회에 맞는 설교가 필요함을 인식하였습니다. 또한 교육관 건축의 재정적인 고려도 겸하여 일단 텔레비전 방송을 중단하게 되었습니다. 그동안 테이프 제작에 헌신적으로 참여하신 여러 분들과 방송국의 최창렬 집사님에게 감사를 드립니다.

TV 방송 선교를 중단하며

>>> 성전 앞의 십자가 <<<

"예배 시간에 헌금을 드린 후 봉헌기도를 할 때 담임목사가 강단 앞 십자가를 향하여 돌아서서 기도를 하는 것은 무슨 의미가 있습니까? 하나님께서 십자가에 달려 계시는 것입니까?" 라는 질문을 하는 분이 있습니다.

하나님은 어디든지 계시지 않은 곳이 없습니다. 하나님은 성전 안에만 계시는 것이 아닙니다. 어디에나 계십니다. 우리는 어디서나 하나님께 예배하고 기도할 수 있으며 그를 만날 수 있습니다. 주께서는 두세 사람이 주의 이름으로 모인 곳에 같이 계시겠다고 약속하셨습니다. 따라서 회중이 모인 곳에 주님이 같이 계심을 확인하며 주의 임재와 영광이 회중에게 충만한 것을 기대하고 있습니다.

하나님은 영이시기에 눈에 보이는 형상이 없습니다. 하나님은 어떤 모양으로도 신상을 만들지 못하게 하시기에 어떤 교회에서는 십자가를 세우지도 않습니다. 성전 앞에 있는 십자가는

숭배하기 위한 하나님의 대치물이 아니라 오직 그것을 통하여 하나님의 사랑을 기억하고 하나님을 예배하며 감사하기 위한 것입니다. 요단 강을 건넌 이스라엘 백성들에게 하나님은 12개의 머릿돌을 세우고 하나님이 하신 일을 기억하도록 하였습니다.

예배 인도자와 회중은 서고 앉는 방향이 다릅니다. 회중은 하나님의 말씀이 선포되는 강단을 향하고 설교자는 강단에서 회중을 향하여 서서 하나님의 말씀을 선포합니다. 하나님은 말씀과 은혜로 우리에게 오시고 우리는 몸과 정성, 찬양과 예물로 하나님께 나아갑니다. 예배 인도자가 성도들이 드린 예물을 가슴에 안고 강단을 향하여 돌아서서 기도하는 것은 그가 회중에 속해 있고 회중과 하나가 되어 회중을 대신하여 회중을 위하여 기도한다는 의미입니다. 설교자가 말씀을 선포할 때는 강단에 서지만 하나님께 봉헌할 때는 회중 편에 서서 회중과 함께 드리는 것입니다.

좋은 질문에 감사합니다. 신앙생활에는 언제나 의문이 있기 마련입니다. 질문이 있으면 언제나 성의껏 응답하겠습니다.

>>> 9 · 11 테러 사건(1) <<<

지난 화요일 인류 역사상 가장 비참하고 끔찍한 테러 사건이 일어났습니다. 우리 모두는 경악하며 사람이 어떻게 이렇게 악할 수가 있는지 물어 봅니다. 19명의 테러범들이 오랫동안 치밀한 계획을 세워 4대의 여객기를 납치하고 그들이 원하는 목표물을 공격한 것입니다. 이들은 미국 경제의 중추인 세계 무역센터 쌍둥이 건물과 미국 군사력의 본부인 국방성을 파괴하여 수천 명의 인명과 헤아릴 수 없이 많은 재산에 피해를 내고 미국에 정면으로 전쟁을 선포했습니다. 건물과 재산이 손실되고 많은 사람이 죽었지만 미국은 무너지지 않았습니다. 그러나 미국의 정보와 안전 방어망과 위기 대처에 많은 허점이 드러나서 국민들이 불안에 빠진 것도 사실입니다.

사람으로서는 상상하기 어려운 이런 일이 어떻게 있을 수 있습니까? 미움과 분노가 역사적으로 쌓인 결과라고 볼 수 있습니다. 이스라엘과 아랍의 피에 피를 잇대는 원한관계가 터진 것입니다. 이스라엘을 옹호하고 후원하는 미국이 아랍인에게는 더 큰 원수로 생각되기에 미국은 그들의 공격 대상이 되었으며, 이 테러 이후 어떤 아랍인은 춤을 추며 축제를 하였습니다.

정도의 차이는 있지만 원한과 분노는 이런 일을 어디서나 연출합니다. 분노한 감정 때문에 물건뿐만 아니라 다른 사람의 이름과 인격을 파괴하는 경우가 얼마나 많습니까? 이로 인해 상처받고 아파할 때가 얼마나 많습니까?

테러는 일어나지 않아야 합니다. 테러가 인간의 문제를 풀지 못함을 알아야 합니다. 예수님은 하나님이시지만 종의 모습으로 이 땅에 오셔서 인류를 섬기며 자기를 십자가에 처형하는 원수라도 용서하고 품었습니다. 그는 세상의 구주가 되고 인간의 삶에 변화를 주었습니다. 예수의 심정으로 미움과 원한을 사랑과 용납으로 바꿀 수 있을 때 서로 신뢰하는 공동체를 이룰 수 있습니다. 우리 마음을 살피며 미움과 원한, 분노가 자리잡지 못하도록 하나님의 도움을 구해야 생명과 평화를 누릴 수 있습니다.

>>> 9 · 11 테러 사건(2) <<<

지난 9월 11일의 테러 참사는 역사에서 다시 일어나서는 안 될 엄청난 비극입니다. 너무나 끔찍한 일입니다. 텔레비전으로 본 것이지만 그 현장은 눈물과 경악 없이는 볼 수 없는 비참함 그 자체였습니다. 6,500명 이상의 목숨을 잃었고 재산 피해는 헤아릴 수 없을 만큼 큽니다. 증권시장이 무너지고 항공기 제작사인 보잉, 미국의 큰 항공사들이 크게 감원을 하고 파산 신청을 하는 형편입니다. 왜 이런 일이 일어나는지 많은 질문을 할 수 있겠지만, 이 일이 결코 비극으로만 끝나지 않고 나라가 더욱 새로워지고 발전하는 계기가 될 것으로 믿습니다.

생명을 잃고 부상을 당한 사람이나 가족뿐만 아니라 모든 사람에게 고통은 감당할 수 없을 만큼 엄청난 것입니다. 그런 가운데 대통령부터 시작하여 이런 일에 하나님의 지혜, 위로, 도우심을 구하며 국가 기도일을 선포하고 온 국민이 하나님을 향하여 기도하는 것은 이 나라에 소망이 있음을 보여 줍니다. 사태가 발생하는 것을 보자 이를 막기 위해, 또한 돕기 위해 뛰어들어 목숨을 바치기까지 헌신하고 희생한 사람들이 많습니다. 이전 걸프 전쟁이 있었을 때도 군인이 모두 지원병이었습니다. 스스로 참전한 것입니다. 자유와 평화, 정의를 위해 자원하여 자기를 바치는 사람이 많다는 것이 이 나라의 힘입니다. 몸으로 달려가 함께 구호와 복구를 돕는 사람, 희생자의 가족을 돌보아 주는 사람, 생명인 피를 아낌없이 바치는 사람, 귀한 성금을 보내는 사람이 모두 하나 되는 데서 이 나라가 새로이 힘 있게 일어나는 것을 봅니다.

우리 교회가 희생자와 가족을 돕는 일에 적극 참여한 것에 대해 감사합니다. 기도회에 같이 참여하고, 1차 헌혈신청에 81명이 서명했습니다. 또한 귀한 정성으로 헌금하여 보내는 일에 전 교우들이 참여하고, 성조기를 보내오고, 'God Bless America'를 써서 내거는 일 등을 감사하며 가슴이 뜨거워짐을 계속 느낍니다. 모두가 하나 되어 함께 일어남을 바라보며 감사합니다.

>>> 교회 사랑을 마음껏 표현했던 바자회 <<<

어제는 본 교회가 멕시코 유카탄의 산토도밍고에 교회를 개척하려는 목적으로 선교위원회에서 주관하여 바자회와 러미지 세일을 열었습니다. 각 선교회장단이 중심이 되어 수개월 동안 모임을 가지고 기도하며 준비하였습니다. 각종 음식을 만들 뿐 아니라 집안을 샅샅이 뒤져 사용하지 않은 많은 물건들을 기증하고 기증받아 모았습니다. 옷과 화초, 전자제품, 도서, 화장품, 가방, 자전거 등 여러 품목이 있었습니다. 사업하는 몇몇 분들이 좋은 상품들을 많이 기증하여 더욱 풍성하고 다양한 자리가 되었습니다.

이전과 달리 '테이스트 오브 코리아' 라고 하여 주차장에 천막을 치고 음식을 만들어 한국 음식을 선보였습니다. 한국학교 학생들이 태권도와 부채춤을 공연하기도 하였습니다. 포스터를 잘 만들어 지역 각 곳에 붙였습니다. 캠프 프라이드에 참여한 입양아 부모에게 초청장을 보내고, 9월 11일 테러 참사를 기억하는 아이타스카 촛불 기도회에 참석한 사람들에게도 전단지를 나누어 주는 등 홍보도 잘하였습니다. 하나님께서 좋은 날씨도 주셔서 전체적으로 즐거운 잔치가 되었습니다.

이번 일을 맡아 진행한 분들과 몸과 시간, 재능과 물건을 바치며 봉사한 여러분에게 진심으로 감사를 드립니다. 행사 자체도 중요한 것이지만 준비하는 과정에서 같이 모이고 기도하며 서로 가까이 교제할 뿐 아니라 하나님과 교회를 사랑하는 마음을 마음껏 표시하게 되어 참으로 감사합니다. 더욱이 이번 행사의 결과로 주님의 교회가 새롭게 생긴다는 것이 얼마나 감사하고 귀한 일입니까? 김학로 선교사님은 이미 장소를 물색하고 리브라도 살라스 목사님을 개척 목사로 정하여 다음 주일 10월 7일에 첫 예배를 드릴 준비를 하고 있습니다. 이를 위하여 기도합시다. 내년이면 본 교회가 그곳에서 단기선교 활동을 할 수 있을 것입니다.

어제 저녁에 있었던 전 교우 친교의 밤은 구역별로 함께 준비한 찬양과 장기자랑으로 즐거운 시간이 되었고 우리 모두가 하나님 안에서 사랑으로 하나가 되었습니다. 이것에도 또한 감사드립니다.

교회 사랑을 마음껏 표현했던 바자회

>>> **평양 감사도** 하기 싫으면 **못한다**지만 <<<

평양 감사도 제 하기 싫으면 못한다는 말이 있습니다. 누구나 욕심내는 좋은 자리라고 하여도 자기가 하고 싶지 않으면 억지로 못한다는 말입니다. 뉴욕의 줄리아니 시장은 이번에 두 번에 걸친 임기 8년이 끝나는데, 그는 시장으로서 괄목할 만한 일을 하였습니다. 무엇보다 뉴욕의 범죄를 반 이하로 줄이고 시민들이 안전하게 살 수 있게 하였습니다. 9월 11일 테러 참사가 난 이후 그는 지금까지 밤낮을 가리지 않고 현장을 돌보며 지휘하고 있습니다. 뉴욕 시민과 뉴욕 주에서는 두 번의 임기로 제한된 법을 고쳐서라도 그의 3선을 요청하였습니다. 그러나 그는 사양하면서 뉴욕이 가장 어려운 위기에 있기에 시장 교체 시기 3개월만 더 섬기겠다고 했습니다. 이것은 세상의 직분이요 사람의 일인 경우입니다. 억지로 일을 하거나 시킬 수가 없습니다.

그러나 주의 일은 다릅니다. 주의 일은 내가 하고 싶어서 하는 것만은 아닙니다. 나를 위해 생명을 바쳐 구원하신 주님의 부름을 받아 그분에게 감사하는 마음 때문에 주를 섬기며 교회를 섬기는 것입니다. 주님께서는 우리가 주님을 선택한 것이 아니라 주님이 우리를 선택하여 세웠다고 말씀합니다. 주님은 나를 따르라, 나의 포도원에 들어가라고 부르십니다. 부름을 받았을 때 결혼한 것, 밭을 산 것, 부모 장례 등 여러 가지 사정이 있어 사양한 사람들이 있습니다. 이들은 결국 주의 일과는 상관이 없게 되었습니다. 바울은 주를 따를 수 없는 사람이었지만 부르심을 받고 순종하였더니 주께서 그를 능하게 하셔서 사역을 할 수 있게 되었다고 고백합니다.

반면 주의 일은 주께서 부르지도 않는데 자원하여 하거나 자기가 하고 싶다고 해서 하는 것도 아닙니다. 주님은 자원하여 주를 따르겠다는 사람들을 받아 주지 않았습니다. 교회의 일은 주의 일이기에 주께서 아시고 부르시는 자를 세워 일하게 하십니다. 공천위원회가 기도하며 일할 직분자를 추천합니다. 공동의회는 하나님의 뜻을 분별하고 들으며 주님이 불러 세우는 자를 선출해야 합니다. 따라서 이를 위하여 우리는 더욱 기도해야 할 것입니다.

>>> 색색이 아름다운 단풍의 계절에 <<<

색색이 아름다운 단풍의 계절입니다. 노란색, 빨간색으로 이글이글 불타는 것 같습니다. 낙엽을 밟으며 화려한 궁전을 거닐듯 나무 사이로 걷는 것이 사랑스럽고 행복하기도 합니다. 아름다운 환경을 주신 하나님께 감사한 마음입니다. 단풍 구경을 위해 차를 타고 멀리 나가기도 하지만 그러지 않더라도 주변 전체가 공원과 같아서 눈을 들면 어디에나 아름다움이 가득합니다. 푸르고 싱싱한 모습은 어디에 갔는지 흔적도 없이 생의 성숙을 보여 주고 있습니다.

단풍은 보기에 황홀하기도 하지만 일면 슬픈 마음을 주기도 합니다. 며칠이 지나면 앙상한 나뭇가지만 남기고 아름다운 잎들이 모두 떨어질 것이기 때문입니다. 단풍잎은 이미 살 만큼 다 살고 수명이 다 되었다는 것을 보여 주고 있습니다. 더 이상 활동이 없습니다. 자기를 떨어뜨리기 전 나타내는 고상한 자태라고 할 수도 있습니다.

인생은 60부터라고 하여 환갑을 한다지만 60이 지나고 보면 이전과는 많이 다른 것을 경험합니다. 의욕과 꿈, 일을 진전시키는 추진력이 부족해지는 것을 느끼게 됩니다. 지나간 세월보다는 앞으로 남은 인생이 더 짧은 것을 실감하게 됩니다. 하루하루가 쏜살같이 느껴지고 세월은 더욱 빠르게 지나가게 됩니다. 어느 면에서 떨어질 날이 가까이 오는 것이지만 노년의 인생은 고집과 자기 주장으로 추함을 더욱 나타내기도 합니다. 단풍을 바라보며 제 노년의 인생도 그렇게 사람들에게 아름다움을 나타낼 수 있기를 소원해 봅니다.

낙엽은 봄의 새 생명을 기다리며 자기를 버리기에 아름다운 것 같습니다. 예수님께서는 우리의 생명을 위하여 자기를 버리고 희생함으로써 인생 중에 가장 아름다운 삶을 사셨습니다. 자기의 주장을 관철하기 위하여 테러와 파괴를 하는 인생은 참으로 추하고 경멸스럽지 않습니까? 우리 성도들은 언제 떨어져 하나님 앞에 서더라도 그리스도 안에서 스스로를 부인하며 주의 생명으로 새로워진 아름다움을 나타내길 바랍니다.

색색이 아름다운 단풍의 계절에

⟫⟫ 영락교회 목사님을 모신 **부흥회** ⟪⟪

우 리가 소속한 미국 장로교회는 1800년대 초부터 세계 선교를 하다가 1884년에 의사 알렌을 한국에 파송하고, 그 다음 해 언더우드 목사와 의사 혜론을 한국에 보내 한국 선교를 시작하였습니다. 교회 개척과 전도 사역은 마포삼열 선교사가 사역하던 시기부터 제대로 진행되어 짧은 기간에 선교의 꽃을 피워 장로교 선교 역사에 기적을 이루게 되었습니다. 1910년에 이미 세계에서 가장 큰 규모의 수요 저녁집회가 평양에서 모이고 있었고, 1920년에는 평양장로교신학교가 세워져서 선교지에서 가장 큰 신학교로 발전했습니다. 몇 년 전 통계에 의하면 세계에서 가장 큰 교회 50개 가운데 그 절반이 한국에 있다고 했습니다. 주요 교단별로 가장 큰 교회가 모두 한국에 있다는 것은 놀라운 축복이요 기적입니다.

장로교회 가운데는 서울 영락교회가 단연 세계에서 가장 큰 교회였습니다. 영락교회가 세워진 것은 기적입니다. 해방된 후

이북이 공산화되자 한국전쟁이 일어나기 이전에 신앙과 생명의 자유를 찾아 남하한 분들이 있었습니다. 1948년 30여 명의 피난민들이 모여서 베다니교회를 시작하였고, 신의주 출신으로 프린스턴 신학교에서 수학한 한경직 목사를 담임목사로 모시고 영락교회로 발전하여 20년이 못 되어 세계적인 교회로 자리를 잡았습니다.

영락교회가 각지로 뻗어가면서 로스앤젤레스에도 설립되었습니다. 이북에서 단신으로 남하하여 브라질에서 선교하던 김계룡 목사가 담임목사가 되었습니다. 그가 은퇴한 후 에티오피아에서 선교하다가 토론토에서 목회하던 박희민 목사가 부임하여 지금 15년 이상 목회하고 있으며, 한국 밖에 있는 한인 교회로는 가장 큰 교회로 자라나 있습니다. 이 두 영락교회의 특징을 보면 교회가 분쟁과 분리의 아픔을 경험하지 않고 인격과 영력을 갖춘 목회자의 지도 아래 교회의 사명을 꾸준히 수행해 왔다는 공통점이 있습니다.

오는 수요일부터 나성영락교회의 박희민 목사님을 강사로 모시고 부흥성회가 열립니다. 참여하는 분들은 반드시 신앙에 큰 활력과 도전을 얻을 것입니다.

영락교회 목사님을 모신 부흥회

>>> 부흥회를 마치고 <<<

지난 주간 박희민 목사님을 모시고 하나님의 은혜 가운데 부흥회가 진행되었습니다. 많은 교우들이 참여하여 새로운 도전을 받으며 은혜 받고 된 것을 감사합니다. 목사인 저도 크게 은혜를 받았습니다. 영적으로도 격려와 도전을 받았지만 육적으로도 축복을 받았습니다. 많은 분들이 강사님을 좋은 식사에 초대하였기에 저도 함께 가서 융숭한 대접을 받고 보니 집회가 끝나고 체중이 늘어난 것을 발견했습니다. 아무리 음식이 좋다고 하여도 그 음식을 먹지 않거나 음식을 지나치게 조금만 먹거나 또는 먹은 음식을 소화시키지 못하고 배설해 버리고 만다면 그것은 삶에 별로 도움이 되지 못할 것입니다. 음식을 먹지 않으면 힘을 얻지 못하고 몸이 약해져서 삶에 기쁨을 갖지도 못하고 할 일을 제대로 할 수도 없을 것입니다.

부흥회는 말씀이 풍성한 잔치입니다. 받기 좋게, 흡수하기 좋게 주어지는 하늘 양식이 시간마다 풍성하였습니다. 참석한 사람은 누구나 그 말씀으로 주린 심령에 만족을 누리며 신앙이 자라고 힘이 생겼을 것입니다. 힘이 있어야 세상도 이기고 원수도 이길 수 있을 것입니다. 힘이 있어야 할 일을 모두 기쁨으로 넉넉히 감당할 수 있을 것입니다. 음식을 먹지 않고 건강을 누릴 수가 없기에 성도들은 말씀의 상에서 양식을 받고 소화시켜야 합니다. 이때 힘을 얻어 건강하고 힘 있게 활동하게 될 것입니다.

또한 말씀은 씨와 같습니다. 씨는 길바닥, 돌밭, 가시밭이나 옥토에 떨어집니다. 옥토에 떨어진 씨는 자라나 30배, 60배, 100배의 결실을 합니다. 길같이 굳은 마음이 녹고 돌과 잡초가 제거되고 갈아엎어지면 옥토로 변화됩니다. 선입관과 고집, 세상의 많은 이론과 염려는 잡초와 같이 말씀의 씨앗이 자라는 것을 방해하기에 이들을 정리해야 합니다. 받은 말씀을 간직하고 묵상하며 성령의 단비와 은혜의 햇빛이 임하도록 기도하면서 말씀대로 따라 살아야 합니다. 그렇게 될 때 말씀 나무가 자라나 풍성한 열매를 맺어 기쁨과 감사의 추수를 할 것입니다.

부흥회를 마치고

>>> NKPC 교단 선교협력위원회 <<<

저는 지난 화요일에서 금요일까지 로스앤젤레스에서 모인 세 가지 회의에 참석하였습니다. 내년 7월 2-5일 뉴저지 프린스턴에서 열리는 한인교회협의회(NKPC) 31차 총회가 선교협력위원회의 제안에 따라 최초의 선교대회로 모이기에 이를 계획하고 준비하기 위한 것이었습니다.

선교협력위원회는 교단 한인 교회들의 열성적이면서도 개별적인 선교 활동을, 교단 세계 선교부와 교회간의 상호 협력을 통하여 더욱 효율적으로 수행하도록, 각 지역을 대표하는 6명과 총회 및 남녀 전도회 대표로 구성하여 1999년에 조직이 되었습니다. 선교협력위원회는 그동안 한인 교회의 선교 실태를 조사하고 세계 선교부와 동역 관계를 위해 만나고 선교대회에 참석하고 세미나를 인도하며 선교 협력을 하고 있습니다. 내년도 선교대회를 알차게 진행하기 위하여 의논하도록 선교협력위원회가 모였습니다.

다음 회의는 총회 연금국이 건강한 교회와 목회를 위하여 마련한 훈련 세미나에 참석한 것이었는데, 여기서 실제적인 여행 비용을 담당하였습니다.

마지막은 NKPC 임원회였습니다. 저는 임원은 아니지만 선교협력위원회를 대표하여 내년 선교대회의 계획을 제안하기 위하여 참석하였습니다. 임원들은 좋은 마음으로 제안을 받아 행사를 계획하였습니다. 테러와 폭력으로 세계가 전쟁과 위기를 맞고 있는 때에 "화해자 그리스도를 온 세상에"라는 주제로 선교대회를 가지며 교단 파송 한인 선교사를 초청하고 모든 순서를 선교에 초점을 맞추도록 하였습니다. 선교에 대한 열의와 영성을 일으키기 위하여 저녁 예배와 새벽기도회를 가지고, 선교의 현실과 미래를 학문적인 주제 강연으로 다루고, 현실적인 문제로 복음과 선교가 많은 어려움을 겪고 있는 지역 선교를 패널로 다루고자 합니다. 또한 개 교회의 선교 실천에 도움을 주는 워크샵을 진행하고, 선교자료를 위한 부스를 만들고, 선교에 뛰어난 교회나 개인을 표창하면서, 교단과 교회의 선교에 더욱 박차를 가하도록 하고자 합니다. 성령의 역사를 기다리며 기도를 부탁합니다.

NKPC 교단 선교협력위원회

>>> **감사** 절기 <<<

성경은 "범사에 감사하라 이는 그리스도 예수 안에서 너희를 향하신 하나님의 뜻이니라"(살전 5:18)라고 말씀하고 있습니다. 하지만 우리는 평소에는 감사하지 못하고 살다가 감사절이 되어서야 감사할 일들을 찾아보는 부족함을 갖고 있습니다. 우리가 무엇을 감사할 수 있겠습니까? 개인적으로 감사할 일이 많을 것입니다. 교회로서는 여러 가지 감사할 것 중에 특별히 교회가 하나님 안에서 하나 되어 평화를 누린 것이 감사한 일입니다.

미국에 사는 우리들은 금년에 큰 시련을 겪고 있습니다. 큰 재난이 연속적으로 일어났으며, 또 한쪽으로는 전쟁에 참전하면서 국민들은 불안과 두려움을 가집니다. 인간의 고통과 아픔을 함께 맛보고 있습니다. 왜 우리에게 환난이 있습니까? 우리의 잘못으로 초대한 것도 있겠지만 고난에는 하나님의 뜻이 있다고 봅니다. 귀한 보석은 저절로 만들어지지 않습니다. 금은 불 속에서 제련되어야 하고 다이아몬드는 날카롭게 잘려야 합니다. 조 개 속에 들어간 모래가 그에게 심한 괴로움을 줄 때 조개가 모래 를 감싸 안으며 진액을 내어 놓음으로써 진주를 만듭니다. 금이 불 속에서 고통을 당하고 다이아몬드가 잘리는 아픔이 있고 조 개가 몸이 상하는 시련을 겪는다 해도 그 결과를 내다본다면 오 히려 감사할 수 있을 것입니다.

성경과 역사의 훌륭한 인물들도 마찬가지입니다. 요셉은 애 굽에 팔려간 노예로서 연단을 받았습니다. 모세는 광야에서 양 을 치며 40년의 세월을 인내해야 했습니다. 바울은 많은 환난과 어려움 가운데 주를 전적으로 의지하는 하나님의 사람이 되었습 니다. 미국을 개척한 청교도들도 새로운 환경에서 추위, 질병, 인디언들과의 갈등을 감사함으로 이겨내야 했습니다. 교회는 불 같은 시련의 박해 속에서 금과 같이 빛나는 믿음을 물려줍니다. 우리에게 어떤 어려움이 있습니까? 하나님께서 감당하게 하시지 만 그 후에는 주를 닮은 인격으로 태어날 것입니다. 고난은 오히 려 감사한 일입니다.

제4부 🌷

새벽
행진

종소리는 들리지 않는다 해도
교회와 성도가 있는 곳에는 새 아침이 밝아옵니다.
역사와 새날을 깨우는 교회의 새벽 행진에
우리는 함께 참여하고 있습니다.

>>> 다스리는 자의 영향 <<<

누가 다스리느냐 하는 문제가 얼마나 중요한지는 아프가니스탄을 통해 볼 수 있습니다. 중앙 아시아 산악과 계곡, 평원으로 이루어진 이 나라는 이란, 파키스탄, 러시아, 중국에 둘러싸여 있어 역사적으로 많은 침략을 받았습니다. 주전 6세기에 파사의 침공을 시작으로 알렉산드로스, 아랍인, 칭기즈칸의 침략이 있었으나 크게 성공하지 못했습니다. 그 후 인도와 파사가 나라를 나누어 다스리다가 1747년에 파사의 단독 지배가 시작되었습니다. 19세기에 영국과 러시아가 영향력을 행사하기 위하여 수차례 전쟁을 하였으나 오히려 1926년에 아프가니스탄은 왕정으로 독립하고 나라는 안정되었습니다. 1973년에 군사 혁명이 있은 후 1978년에 일어난 공산주의 혁명에 반발이 있었습니다. 그러자 10만 명의 소련군이 진입하여 10년 동안 싸우다가 결국 1988년에 후퇴하였습니다.

그 후 회교근본주의자 학생들이 때를 기다린 것처럼 탈레반 군사력으로 부상하여 세력을 확장하다가 1996년에는 수도 카불을 점령하고 회교근본주의 정부를 만들었습니다. 통치자 물라 오마르는 테러범 빈 라덴과 사돈이 되어 그를 은닉 보호하며 미국을 위시한 자유주의 국가를 대상으로 테러를 저지르는 일에 앞장섰습니다. 테러로 세상을 공포로 몰고 세력을 확장하려던 빈 라덴과 아프가니스탄은 미국의 심장부 세계무역센터와 미 국방성을 공격하여 수천 명의 인명 손실과 막대한 재산 피해를 내고는 이제 종말을 보고 있습니다. 테러를 사용하면 결국 테러로 망하는 것입니다. 세상 역사는 전쟁으로 가득합니다. 서로 세력을 잡으려 하기 때문입니다.

예수 그리스도는 온 세상을 다스리는 능력의 하나님입니다. 그러나 그는 섬기는 종으로 와서 사랑을 실천하며 자신을 희생 제물로 내어 주셨습니다. 그의 영향력은 온 세계 모든 사람의 가슴에 채워지고 있습니다. 예수 그리스도의 마음과 인격을 가지고 그를 따라 산다면 원한과 전쟁이 없는 시대가 올 것입니다. 종교와 종족, 가진 자와 가지지 못한 자 사이에 갈등이 있을수록 예수님의 사랑과 평화가 더욱 요청되고 있습니다.

>>> 인간 복제 <<<

지난 11월 25일 매사추세츠에 있는 고급세포기술회사 (Advanced Cell Technology Inc)에서 사상 처음으로 인간 복제를 위한 세포 배합을 하였다고 발표하였습니다.

생명공학이 발달하면서 양을 복제하더니, 그 기술을 더욱 발전시켜 이번에는 인간의 생명체를 복제하는 일을 하였다는 것입니다. 인간 복제는 남녀와 상관없이 주로 피부 세포에서 생명의 핵심요소를 뽑아 그것을 난자에 주입하여 생명을 만들어 내는 것입니다. 이 인간 복제에는 여러 가지 문제가 수반되기에 미국 의회는 지난 여름 이를 금지하였고 대통령도 반대하고 있습니다.

인간 복제를 연구하고 진행하는 사람들은 복제되는 사람의 세포를 사용하여 현재 치료가 불가능한 뇌와 심장의 병, 당뇨병, 치매 같은 질병을 치료할 수 있다고 믿고 있습니다. 복제되는 인간은 자동차 부속품과 같이 인간 수리를 위한 부속품으로 사용

된다는 것입니다. 그렇다면 그는 온전한 인간으로 살게 하는 것이 아니고 용도에 따라 특별 제조가 되는 것입니다. 뿐만 아니라 한 질병을 치료하는 데 사용하기 위하여 세포를 추출하면 그 복제되는 인간은 죽기 때문에 곧 살인을 하는 것입니다.

질병 치료라는 이름으로 복제를 시작한다면 결국 전쟁이나 범죄나 무슨 용도를 위해서도 인간을 만들 수 있다는 결론에 이릅니다. 생명의 존엄성은 없어지고 인간의 생명과 세상에 큰 혼란과 문제가 생길 것입니다.

무엇보다 하나님께서 남녀를 만드시고 둘의 사랑의 관계를 통하여 생명을 생산하게 하였는데, 인간 복제는 이 창조질서를 위반하는 것이요, 하나님께 도전하는 일입니다. 생명의 주인이 하나님이시라는 것을 외면하고 과학자가 실험관에서 생명을 조작한다면 결국 인간 세계는 파멸할 것입니다. 하나님은 사랑이십니다. 그는 마리아를 통하여 사람으로 나시고 사람을 구하고자 자신을 희생하셨습니다. 이것을 기억해야 합니다. 우리가 생명을 사랑하고 존중할 때 비로소 하나님의 풍성한 생명과 평화를 누릴 수 있을 것입니다.

>>> 새롭게 세우는 집사, 장로 <<<

파스칼은 사람을 거미, 개미, 꿀벌로 나누었습니다. 줄을 치고 무엇이나 걸리기를 기다리는 거미가 있고, 열심히 땀 흘리고 일하여 자기를 위해 저축함으로 내일을 준비하며 살 길을 찾는 개미가 있는가 하면, 다른 사람을 위하여 삶을 바치면서 일하는 꿀벌이 있다는 말입니다.

비슷한 것이지만 사람을 다음과 같이 네 종류로 나누어 볼 수도 있습니다. 남을 이용하는 사람이 있습니다(preyer). 포수가 사냥감을 찾듯이 사람들의 약점이나 부족을 찾아내어 그것을 이용하는 사람입니다. 예수님 당시 일반적인 바리새인과 서기관들이 그러하였습니다. 또한 다른 사람과는 상관없이 자기 좋은 대로 자기 만족을 찾는 사람이 있습니다(player). 인생은 놀이요 즐거움입니다. 내일 무슨 일이 생길지 모르기에 오늘 먹고 마시는 쾌락주의자들입니다. 그리고 자기에게 맡겨지고 주어진 일을 하나의 도구와 같이 성실하게 수행하는 사람들이 있습니다

(plyer). 도시를 건설하고 공장에서 기계를 돌리는 사람들입니다. 이런 사람들이 미국을 훌륭하게 만들고자 땀과 피와 눈물을 쏟았습니다. 또한 오늘 주변에 무슨 일이 있든지 내일을 바라보며 꾸준히 비전을 가지고 나아가는 사람이 있습니다(prayer). 역사를 다스리고 인도하는 하나님의 눈과 마음을 가지고 기도하는 사람입니다. 좌절하지 않고 소망 가운데 인내하며 새 역사를 만들어 냅니다. 교회는 바로 이런 기도하는 사람들의 모임입니다.

교회의 머리이신 주 예수께서 그동안 신실하게 주를 믿고 충성스럽게 교회를 위해 봉사하던 분들 가운데 오늘 5명의 장로와 22명의 집사를 새롭게 세우십니다. 바로 교회에 맡겨진 주의 사명을 이루기 위함입니다. 하나님을 예배하며 주의 복음을 증거하고 하나님의 사람들을 양육하며 그리스도의 사랑을 나누고 주의 이름으로 섬기며, 이런 사역을 위하여 시설과 재정을 관리하는 것입니다. 이들 모두가 항상 기도하며 맡겨진 일을 충성스럽게 수행함으로 모두에게 큰 축복이 될 수 있기를 기대하며 기도합니다.

새롭게 세우는 집사, 장로

>>> 교단 **신학** 특별위원회 <<<

저는 지난 12월 6-8일 댈러스에서 열린 교단 신학 특별위원회 첫 모임에 참석하였습니다. 이 위원회는 교단 213차 금년 총회가 교회의 평화, 일치, 순결을 위하여 20인으로 구성되었고, 현재 교단이 당면하고 있는 심각한 문제를 연구할 것입니다.

교단의 문제는 미국 사회의 문제와 같습니다. 근대의 조류는 절대가치를 인정하지 않고 무엇이나 상대화하며 전통적인 가치나 원리에 도전합니다. 20세기에 들어와서 예수님만이 유일한 인류의 구주라는 사실을 거절하는 자가 많습니다. 결혼관계에도 큰 변화가 일어나 동성 결합을 법적으로 인정하는 주도 있습니다.

미국 장로교는 예수님만이 유일한 구주라는 것을 고백하고 있습니다. 미국에 동성애자가 많기에 그들에게 복음을 전하는 사역을 해야 합니다. 그러나 목사, 장로, 집사로 안수 받고 교회

직분자로 세움 받기 위해서는 일남 일녀의 결혼 서약을 충실하게 지키든지 또는 독신으로 순결하게 살아야 한다고 규정하고 있습니다. 동성애를 하거나 이와 관련된 사람들은 스스로를 정당화하고자 기존 질서에 저항하며 운동권을 만들어 교회를 혼란과 분리로 인도하고 있습니다. 따라서 위원회는 앞으로 4년 동안 이 문제를 조사하고 연구하여 보고서를 제출하게 되어 있습니다.

위원회의 구성은 흑인, 히스패닉, 미국 인디언, 아시아인이 각 1명씩이고 그 이외에는 모두 백인입니다. 목회자가 다수고 신학교 교수, 기관 사역자도 섞여 있습니다. 성별로는 남자가 조금 많습니다. 당면 문제에 대한 위원들의 생각이 다양합니다. 어렵고 힘든 문제이지만 교회의 평화, 일치, 순결과 하나님의 영광을 위하여 모두가 직임을 수락한 것입니다. 첫 모임에서는 위원들이 서로를 위해 기도하고 모일 때마다 예배하고 성경을 공부하며 성령의 인도하심을 따르기로 약속했습니다. 그리고 성경과 신학, 역사와 교회, 선교지와 실제 형편들을 나누어 진행하도록 결정하였습니다. 중요한 문제이므로 많은 기도가 요청되기에, 여러분의 기도를 부탁합니다.

교단 신학 특별위원회

⟫⟫⟫ 생명의 존귀함 ⟪⟪⟪

지난 19일 두페이지 카운티 재판정의 배심원은 매리린 리맥에게 만장일치로 유죄 판결을 내렸습니다. 리맥은 의사인 남편과 유복하게 살던 2남 1녀의 어머니였는데 1999년 3월 4일 당시 7세, 6세, 3세의 세 아이에게 약을 먹이고 목을 졸라 모두 죽인 것입니다. 남편이 다른 여자를 만나는 것에 분노하고 질투할 뿐 아니라 자기가 남편을 마음대로 할 수 없다는 것에 복수하는 마음으로 저지른 행동이라고 합니다. 정상적인 부부 사이에서 태어난 사랑스럽고 귀여운 자기 자식들에게 어떻게 그런 일을 할 수 있습니까? 아이들을 살해할 만한 용기가 있다면 그 용기로 남편을 사랑하고 존중하는 좋은 아내가 될 수는 없었단 말입니까?

비행기로 또는 자살 폭탄으로 많은 사람의 생명을 빼앗아 가는 사람들은 우발적인 사고가 아니라 사전에 범행을 계획하고 준비하고 수행하여 무서운 죄를 범하는 것입니다. 이러한 범죄에 대해서는 심판과 형벌이 있는 것이 당연합니다. 시카고는 살기 좋은 보수적인 도시인데도 1년에 648건의 살인사건이 일어나 인구가 3배나 많은 뉴욕을 앞질러 금년에 범죄율 1위를 했습니다. 분노나 증오, 자기 중심적인 욕심만 아니라 생명을 경시하는 경향이 너무나 심각하기 때문에 일어나는 현상이라고 보입니다.

지난 주간 교우들이 마크룬드 집에 있는 지체 부자유자들에게 사랑의 선물을 보내고 주빌리 합창단이 방문하여 성탄 노래를 불렀습니다. 저는 한 사람도 몸을 제대로 움직이는 자가 없는 비참한 형편인 것과 그들이 소중하게 돌봄을 받고 있다는 것을 보고 너무나 놀랐습니다. 바로 이것이 하나님의 사랑입니다. 예수님께서는 우리를 사랑하시고 우리의 생명을 귀하게 보셔서 한 사람의 생명은 천하를 주고도 바꿀 수 없다고 하셨습니다. 인류의 구원과 평화를 위해 주께서 이 땅에 오시고 우리에게 영원한 생명을 주시기 위해 자기 생명을 주셨습니다. 성탄을 맞으며 생명의 존귀함을 새롭게 실감하고 더욱 사람들을 사랑할 수 있기를 바라는 마음입니다.

>>> **연말 인사** 교환 <<<

예수 그리스도의 성탄을 지내고 새해를 맞으면서 사람들은 인사 카드를 서로 주고받습니다. 멀리 있거나 자주 만나지 못하는 사람이라도 이때가 되면 서로를 기억할 뿐 아니라, 지난 한 해 동안 사랑을 베풀고 관심을 가져 준 것에 감사하며 축복을 기원하게 됩니다. 크리스마스는 온 인류에게 미치는 큰 기쁨의 좋은 소식인 구주 예수님의 탄생을 기념하는 것이기에 모두가 기뻐하며 서로 축하하게 됩니다. 하나님을 모르고 살던 우리들이 하나님의 사랑을 받는 사람이 되고, 나아가 죄와 죽음에서 건짐 받은 사실을 생각하면 감사할 수밖에 없는 일입니다.

미국 사람들은 일상적으로 만나면서 안부를 물은 경우에도 감사하다고 합니다. 작은 어려움에서 도움을 얻거나 질병에서 고침을 받아도 감사한 마음이 일어나는데 영원한 고통에서 건짐을 받는다는 것이 얼마나 큰 감사입니까? 예수님으로 인하여 새 생명을 얻고 보면 모든 것이 새로워진 그 기쁨을 나누지 않을 수 없습니다. 바울은 그가 듣고 본 것을 말하지 않을 수 없다고 고백하였습니다. 성탄을 지나면서 우리 삶에 일어난 변화로 인한 감사와 기쁨이 있기를 바랍니다.

새해를 맞으면서 복된 한 해가 되기를 바라며 지난 1년을 돌아보게 됩니다. 돌아보면 좋은 일과 어려운 일이 교차하였습니다. 국가적으로는 9 · 11의 사태가 너무나 충격적인 비극이었습니다. 개인적으로 그와 필적할 만한 일들이 있을 수 있습니다. 치료가 어려운 질병에 걸리기도 하고 사랑하는 가족을 잃기도 합니다. 직장을 잃거나 사업이 어려울 수도 있습니다. 인간관계에 고통이 있기도 합니다. 그러나 지나고 보면 어려움에도 좌절하지 않고 이겨 낼 수 있었다는 사실과 전화위복이라는 말대로 더 좋아지는 경우가 많이 있기에 오히려 감사합니다. 고통 가운데 하나님을 바라보며 믿음을 굳게 하고 기도하는 것도 큰 소득입니다. 연말 인사 교환은 이러한 삶의 나눔입니다. 어려운 일에도 실망하지 말고 서로 기억하며 기도하자는 것입니다. 이때 생기는 삶의 능력과 기쁨을 여러분 모두 체험하시기 바랍니다.

>>> 말씀을 따르는 삶 <<<

얼마 전 장례식에 참석했습니다. 보통은 장례식 집례자로 참석하는데 이 날은 조객으로서 유가족을 위로하기 위하여 갔습니다. 집례자라면 형편에 맞도록 설교를 준비하고 예배를 인도하는 부담이 있지만, 조객으로서는 유가족 가까이 있으면서 슬픔을 함께 나누는 것이라 가벼운 마음입니다. 장지로 행렬을 할 때 집례자였다면 가족보다도 앞서 운구차 바로 뒤를 따르지만 이번에는 조객으로서 행렬 맨 끝에서 세 번째에 서게 되었습니다. 장례 행렬은 빨간 신호등에도 정지하지 않고 계속 진행하는 특권을 받습니다. 헤드라이트를 켜고 장례 행렬 표시를 붙이고 행렬이 움직이기 시작하였습니다. 장지까지 길이 멀어 마음을 느긋하게 먹고 앞 차가 가는 대로 따라 가기만 하면 되었습니다. 장례식 행렬이지만 긴 시간이기에 옆에 있는 아내와 이야기를 나누는 것도 좋은 시간이었습니다.

잘 따라가고 있다고 생각하고 있었는데 어느 순간 앞에 가던 행렬이 보이지 않았습니다. 뒤를 보니 따라오던 차도 보이지 않았습니다. 길을 놓친 것입니다. 매우 당황하였습니다. 도대체 이럴 수가 있나 싶었습니다. 앞만 향해 바로 가고 있었는데 내가 다른 것을 생각하는 사이에 필경 어디선가 행렬이 빠져나간 것입니다. 어디로 어떻게 가는지 전혀 알 길이 없었습니다. 그 장지에는 가 본 적도 없거니와 도심지를 지나야 하기에 길이 매우 복잡하였습니다. 마침 순서지에 장지 주소가 있고 차 안에 지도가 있기에 길옆에 차를 세웠습니다. 지도를 연구하고 길을 찾아 겨우 겨우 장지에 갔더니 이제 막 행렬이 도착하고 있어서 마음속으로 감사하고 안도의 숨을 쉬었습니다.

이번 경험을 통해 신앙생활의 큰 교훈을 받았습니다. 광야 길에서 자칫하면 가는 길을 놓치고 방황할 수 있기에 목자이신 주님에게 눈을 고정하고 그의 뒤를 잘 따를 수 있어야 한다는 것입니다. 목적을 분명히 인식하고 하나님 말씀의 안내를 받아 길을 걸어야 하겠습니다. 주의 말씀은 내 발에 등이요, 내 길에 빛임을 다시 한 번 확인하였습니다.

>>> 기쁘게 일합시다 <<<

금년 겨울은 눈이 없이 지나가는 것 같았습니다. 눈이 올 계절에 비가 내리기도 하였지만, 비도 절대량 부족으로 농부뿐만 아니라 모두가 가뭄을 염려하였습니다. 뉴욕 버펄로와 미네소타에서는 사람의 키 이상으로 많은 눈이 내린 반면에 우리는 눈을 기다리고 있었습니다. 며칠 전 일기예보에서 1-3인치의 눈이 내릴 것이라고 해서 저를 포함하여 많은 사람들이 흥분하면서 밖을 내다보며 눈을 기다렸습니다. 눈이 오면 길이 미끄러워 운전하기도 불편하고 사고 나기가 쉽지만 동심으로 돌아가게 되어서인지 눈이 오는 것을 보면 마음이 즐겁습니다.

나보다 눈을 더 기다린 사람이 있는 것 같습니다. 바로 제설 차량입니다. 이들은 눈이 내린다는 예보가 나오자 눈이 내리기도 전에 벌써 큰길 여기저기서 대기하고 있었습니다. 눈이 내리기가 무섭게 이들은 길의 눈을 치우고 소금을 뿌리기 시작합니다. 깨끗한 길인데도 또 지나가며 다시 치우고 소금을 뿌립니다.

제설 차량만 아니라 가정집 앞에서 눈을 치우는 사람들은 오랫 동안 할 일을 기다렸다는 표정으로 기쁘게 일하고 있었습니다. 저는 늦은 시간 퇴근하면서 집 앞의 눈은 저녁 심방 후 10시에 나 치워야 하겠다고 생각했습니다. 그런데 집에 도착하였더니 벌써 아내가 깨끗이 치워 두었습니다. 너무나 반갑고 감사하였 습니다. 아마 아내도 눈 오기를 기다리다가 금년 첫눈을 기쁨으 로 치운 것 같았습니다.

　여기서 일하는 사람의 마음가짐을 봅니다. 할 일을 마지못해 할 수도 있지만 기쁨으로 기다렸다는 듯이 즐겁게 할 수도 있습 니다. 이 둘이 일한 결과는 비슷할지 모릅니다. 그러나 하나님은 사람의 마음에 관심을 가집니다. 하나님은 아벨과 그 제물은 받 으시고 가인과 그 제물은 받지 않으셨습니다. 같은 제물로 보이 지만 하나님은 마음을 보고 구분합니다.

　금년에도 주어진 사역이 많습니다. 오래 기다린 심정으로 기 쁘게 일함으로써 보는 사람만 아니라 하나님을 기쁘시게 할 때 참으로 축복이 될 것입니다.

기쁘게 일합시다

>>> 오늘이 우리의 장래를 결정합니다 <<<

며칠 전 오드리 윌러라는 74세의 여인은 42년 전 날치기를 당하여 잃어버렸던 핸드백을 옥팍 경찰서에서 다시 찾게 된 기쁨을 가졌습니다. 그는 당시 옥팍에 있는 울워스 백화점에서 일하고 있었는데 1960년 어느 날 현찰로 받은 주급 67달러 2전과 오버타임 사례를 받아 까만 가죽 핸드백 속에 넣고 레이크 스트리트에 있는 헤이스티 테이스티 식당에 점심을 먹으러 갔습니다. 점심을 먹으면서 잠깐 보지 않고 핸드백을 놓아둔 사이에 없어졌습니다. 큰 실망이 되었고 월부금을 갚지 못하는 어려움이 있었습니다. 그 사건을 잊어버린 후 오랜 세월이 지나서 경찰서의 연락을 받고 도로 찾은 것입니다.

영문은 모르지만 그 핸드백은 40년이나 그 식당 부엌 벽에 걸려 있었습니다. 몇 년 전 그 식당 자리에 피어 원 점포를 짓기 위해 식당을 철거하던 건축회사 사람들이 그 핸드백을 발견하고는 경찰에 보냈고, 콘웨이 경사는 핸드백 속에 있는 이름을 보고 일리노이 전체 주소록을 뒤져서 결국 주인을 찾아내어 그것을 전해 주었던 것입니다.

오드리는 핸드백을 열자 이미 그때 작고한 아버지의 웃고 있는 흑백사진과 아버지 장례식 때 조객에게 나누어 준 시편 23편 인쇄물, 이미 고인이 된 가족, 성인 자녀를 가진 가족, 직장 동료의 사진들을 보며 옛 추억이 새롭게 되살아나 눈물을 터뜨렸습니다. 그는 돈은 망할 것이지만 중요한 것은 사진들이라고 말합니다. 그가 일하던 울워스 백화점은 파산하였지만 그는 잊어버린 옛 친구들을 새로이 반갑게 만났습니다.

세월은 속절없이 빠르게 지나갑니다. 가족도, 사랑하던 친구도, 일하던 직장도, 즐겨 가던 식당도, 백화점도 떠나가고 없어집니다. 더욱이 기억마저도 희미해집니다. 새해가 되면 옛날을 묻어버리고 새롭게 살려고 합니다. 그러나 하나님 앞에 서는 날이 언젠가는 옵니다. 우리의 옛날 전체가 비디오를 보듯이 나타나고 기억이 살아납니다. 즐거움일 수도 있습니다. 그러나 부끄러움과 함께 심판일 수도 있습니다. 오늘이 바로 그날을 결정할 것입니다.

오늘이 우리의 장래를 결정합니다

>>> 악의 축 <<<

부시 대통령은 지난 29일 밤 국회에서 첫 대국민 연두교서를 발표하였습니다. 그는 테러와의 전쟁을 시작하여 아프가니스탄의 탈레반 정부와 테러의 진원지인 알카에다를 단시일 내에 정복할 뿐 아니라, 불경기 침체에 빠졌던 경제도 예상보다 빨리 회복세에 들어감으로 80% 이상의 높은 지지를 받고 있습니다. 이러한 가운데 그의 연두교서 대부분이 테러 전쟁과 경제에 관한 것이었습니다.

특히 테러 문제에 있어서는 이제 '전쟁 시작' 이라고 하면서 아프가니스탄을 넘어서서 테러를 옹호하고 육성하는 나라나 단체를 향하여 계속 전쟁이 있을 것을 선포하며 이라크, 이란, 북한은 대량 학살 무기를 개발하고 테러를 조장하고 있기에 이들을 '악의 축' 이라고 명명하였습니다. 언제든지 이들과 전쟁할 태세가 되어 있다는 암시이기도 하였습니다.

북한이 이라크, 이란과 같이 '악의 축' 이 되었다고 하니 동족으로서 가슴이 아픕니다. 이라크는 구약시대에 세계를 지배하던 앗수르와 바벨론의 후예입니다. 이란은 바벨론을 정복한 파사의 자랑스런 후손입니다. 바벨론과 파사는 훌륭한 문명과 문화를 가지고 있었습니다. 북한은 남한과 같이 반만년의 역사와 동방예의지국이라는 이름을 가진 아름다운 나라였습니다. 이런 나라가 어떻게 대량 학살의 꿈과 테러로 세계를 위협하는 악의 축이 되었습니까? 옛 문화의 나라가 다 그렇게까지 몰락하는 것은 아닙니다. 파사를 정복하였던 헬라, 헬라를 정복한 로마는 아직도 세계에서 좋은 면으로 영향력을 미치고 있습니다. 무엇이 이들을 다르게 만들었습니까?

여러 가지 요인이 있겠지만 한 가지를 생각하면 그것은 하나님과의 관계입니다. 그리스, 로마와 달리 이라크, 이란은 하나님을 배제하기 때문에 생명과 평화를 존중하지 않습니다. 아시아의 예루살렘이던 평양도 같은 형편입니다. 어려운 때만 아니라 번영하고 복을 누릴 때 생명의 하나님을 찾고 경외하는 것이 세상에 생명과 축복을 나누어 주는 길입니다. 우리와 우리의 후손이 세상에 축복을 전달할 수 있기를 간절히 바랍니다.

>>> 선교 활동 <<<

아로요 필리핀 대통령이 지난 2월 3일 시카고를 방문하여 시카고 거주 필리핀 사람들과 만나고 교회에서 함께 예배했습니다. 자유롭고 민주적인 모습이었습니다. 그러나 필리핀에는 테러와 관련하여 어려움이 있습니다. 오사마 빈 라덴과 연관되어 있는 아부 사야프 소속 게릴라가 지난 10년 동안 테러를 일삼아 사람을 죽이고 인질을 삼아 세상을 어지럽히고 있습니다. 아로요 대통령은 미국에 도움을 요청하여 아부를 제거하기 위한 정찰 기술과 군사 정보를 제공받았습니다. 아프가니스탄에 이어 미국의 테러 전쟁 대상은 바로 아부 사야프의 게릴라가 될 것으로 예상합니다.

미국이 도움 요청을 받는다 해도 힘이 없으면 도울 수 없겠지만 미국은 세계 평화와 자유를 위하여 도움을 주어 왔습니다. 이전에 쿠웨이트가 이라크의 점령을 받았을 때 미국은 이라크를 물리쳤습니다. 한국전쟁이 있었을 때 미국이 유엔 이름으로 한국을 돕지 않았다면 지금의 한국은 없을 것입니다. 미국은 세계의 자유와 평화를 지키는 데 크게 사용되고 있습니다. 이것이 하나님께서 미국에게 준 사명입니다.

미국에 온 우리들은 처음에 안정을 찾게 되기까지 스스로 살기가 너무 바쁘기에 다른 사람을 생각할 여유가 없습니다. 내 자녀, 내 가족, 내 사업 중심으로 살다 보니 생활이 안정되어도 그런 삶을 사는 경향이 많습니다. 이민이 아니라 본국에 있으면서도 자기 중심으로 사는 이가 대부분입니다. 교회도 남을 섬기는 것은 상상하지도 못하고 자기 자신만을 위하여 존재하는 경우가 있음을 봅니다.

한인 교회는 시작부터 선교에 관심을 가지는 교회가 많은 것이 감사한 일입니다. 남을 섬기고 하나님의 은혜를 나누면서 건강하고 축복된 삶을 스스로 살아가게 됩니다. 우리 한미교회가 섬기는 일에 참여함을 감사합니다. 구제와 선교 활동을 하고 성도들이 외지에 나가 선교에 전념할 뿐 아니라 때를 따라 선교팀이 파송되어 하나님의 사랑과 복을 나누는 것은 우리가 해야 할 생명의 일입니다.

선교 활동

>>> 산토도밍고 의료 선교 <<<

지난 2월 4일에서 9일까지 9명의 의료팀이 멕시코 유카탄 산토도밍고를 중심으로 5개 마을에서 의료 활동을 했고, 제가 6일부터 합세하여 복음 증거를 한 것을 감사하게 생각합니다. 산토도밍고는 본 교회가 작년 10월 7일 첫 예배로 교회를 시작한 곳입니다. 이 교회의 정착과 발전을 위해 이곳을 본부로 삼았습니다. 인구 1,500명의 산토도밍고 촌장이 주민과 함께 연서하여 중심 지역의 좋은 땅을 기증하고 교회 설립과 활동을 환영한 것은 참으로 고무적인 일입니다. 이들이 환영하는 것은 교회에 기대하는 바가 많다는 것을 의미합니다. 교회당 건축은 지난번 러미지 세일과 바자회에서 얻은 수익금으로 이미 골조 공사가 완성되었습니다. 나머지 건축비를 보내면 두 달 이내에 모든 건축이 완성될 것입니다. 이미 모인 헌금으로 화장실이 지어지고 한 성도의 약속된 봉헌으로 농구장이 마련되면 그 교회는 산토도밍고의 중심이 될 것으로 내다보고 있습니다.

산토도밍고 교회는 현재 매주일 어린이 60명 정도가 베키 전도사의 지도 아래 모이고 있으며, 성인은 20명이 인근 지역 골초교회 빅토리아노 장로의 지도 아래 모이고 있습니다. 적절한 교역자가 상주하면 교회가 사명을 수행하고 뻗어나갈 것으로 봅니다. 김학로, 이종하, 이도선 선교사들도 지도자 개발과 양성에 큰 힘을 쏟고 있습니다.

이 지역은 의료 선교가 참으로 필요합니다. 원시적인 생활에다가 위생 관념과 의료 시설이 없고 아픈 사람이 많기에 이번에 의사, 간호사, 약사로 구성된 선교팀의 사역은 큰 도움이 되었습니다. 예수님께서 하신 일이 천국 복음을 전파하고 가르치며 질병을 치유하는 것이었기에 선교에는 의료 사역이 중요한 부분을 차지합니다. 사람의 영이 새로워지고 구원을 얻도록 복음을 전하는 것이 선교의 기본이기에 전도 집회를 하였는데 호응이 좋았습니다. 복음 전파와 함께 교육으로 인재를 양성하고, 지역사회 개발과 봉사로 생활 개선과 향상을 도울 수 있다면 바람직한 선교가 이루어질 것입니다.

>>> 주와 동행하는 **사순절** <<<

사순절은 예수님께서 우리의 죄를 대신하여 십자가에서 죽으시고 고난 당하신 것을 기억하는 40일간의 교회 절기입니다. 이때 우리는 그의 사랑에 감격하고 그의 고난에 동참하며 주와 함께 동행하기를 원합니다. 우리를 위한 예수님의 고난은 완전한 것입니다. 무엇보다 그는 하늘의 영광스런 하나님과 동등한 그 자리를 떠나 낮고 천한 이 세상에 죄인의 모습으로 오심으로 자리 바꿈을 하였습니다. 그는 하나님으로서의 권세와 영광을 나타내며 기적을 행하기도 하였지만, 우리와 똑같은 삶을 살면서 피곤하고 굶주리며 비난을 받고 배반을 당하며 죽을 지경까지 고민을 하기도 하였습니다. 그는 밤을 새워 기도하며 아버지의 말씀을 따라 살다가 십자가에 못박혀서 몸이 찢어지고 남김 없이 피가 다 쏟아지는 처절한 죽음을 겪었습니다. 자기 집에서 태어나지도 못하였던 그분은 죽었을 때에도 남의 무덤에 장사되었습니다. 몸과 영을 다 바친 완전한 드림입니다.

주님의 사랑과 고난을 기억하며 우리는 어떻게 주와 함께 걸어갈 수 있겠습니까? 주께서 우리를 위하여 모든 것을 버리셨기에 우리도 주님을 위하여 우리가 좋아하던 것을 하나라도 포기할 수 있다면 주님이 기뻐하실 것입니다. 주께서 우리를 사랑하셨기에 우리가 서로 사랑하는 것도 중요한 일입니다. 주님의 사랑에 보답하여 그를 더욱 사랑하고 온전하게 경배하는 것 또한 마땅합니다.

온전한 예배는 어떤 것입니까? 몸과 마음과 영혼을 다 모아서 드리는 것입니다. 몸은 교회에 와 있으나 마음이 다른 곳에 가 있거나, 몸은 다른 곳에 있으나 마음은 교회에 있는 것은 예배가 아닙니다. 주일날 교회에서 한 시간 예배하는 것만 아니라 일상생활 가운데 항상 하나님 앞에서 그를 높이며 사는 것이 진정한 예배입니다. 교회 예배에서도 처음부터 마지막까지 몸과 마음과 정성을 모아 주님을 만나야 합니다. 온전한 예배를 통하여 살아 계신 하나님을 경험할 때 그를 나타낼 수 있습니다.

>>> 동성애 <<<

이스라엘과 팔레스타인이 평화롭게 살 수 있는 길이 없을까요? 계속 자살 폭탄을 터뜨리고 보복함으로써 수많은 생명이 희생되는 것을 보며 가슴이 아픈 것을 느낍니다. 이집트 대통령이 평화를 주선하고 싶어하고 미국 대통령은 특별사절을 보내어 평화를 이루기를 원하고 있습니다. 그러나 당사자들은 양보나 타협이 없이 강경한 자세를 취하고 있습니다. 이스라엘의 조상 아브라함은 4천년 전 팔레스타인의 조상 블레셋 사람들 사이에서 평화롭게 살았습니다. 저는 후손들도 그 평화를 가질 수 있기를 바랍니다.

인간 사회 어디에나 갈등의 문제가 있지만 본 교단에도 심각하게 대립되는 문제가 있습니다. 동성애 문제인데, 이는 1978년 이후 줄곧 대두되고 있습니다. 이 문제는 최근의 일이 아니라 역사처럼 오래되었습니다. 소돔과 고모라가 바로 이 일로 타락하고 멸망하였습니다. 창조 원리에 어긋나는 부끄러운 일이지만 여기에 관련되는 사람의 수가 많아지자 어떤 주에서는 법적으로 동성 결합을 인정하기도 하고 학교 교과서도 그렇게 편집하는가 하면 이제 이들은 동성애를 자랑하는 형편이 되었습니다.

교회는 세상의 다양한 사람들이 모이는 곳이기에 교회에 동성애자들도 있는 것이 사실입니다. 본 교단의 방침은 성경의 가르침에 따라 동성애는 하나님 앞에 가증한 죄라는 것을 인정하고 이들에게 복음을 전함으로 그들의 삶을 돌이켜 건전한 삶을 살게 하는 것입니다. 또한 교회의 직분자는 일남 일녀의 결혼 원칙을 지키거나 독신으로서 순결한 생활을 해야 합니다. 그런데 여기에 도전이 많으며 법과 제도를 바꾸려는 운동이 일어나고 대립되는 단체가 생겨남으로써 갈등과 정력 소모가 많아 교단이 분리될 위험까지도 있습니다. 이 문제를 해결하기 위해 신학위원회를 구성하였지만 결과가 명확하지 않습니다. 하나님과 사람이 원수되었을 때 예수님께서 중간에서 자기 생명을 버림으로써 막힌 담을 헐고 서로 만나게 하셨습니다. 이러한 예수 그리스도의 십자가 희생과 사랑이 지금 절실하게 요청되고 있습니다.

>>> 탈북 번개 작전 <<<

지난 16일 오후 5시(한국 시간)에는 탈북자 25명이 김포공항에 도착하여 꿈에도 그리던 한국의 품에 안겼습니다. 이렇게 많은 사람이 집단으로 한국에 온 것은 처음입니다. 이들은 지난 14일 오전 11시에 남자는 파란색, 여자는 빨간색 모자를 쓰고 삼삼오오 짝을 지어 북경 주재 스페인 대사관 앞에 나타나더니, 갑자기 '와' 하는 함성과 함께 중국 공안요원을 밀치고 눈 깜짝할 사이에 대사관 안으로 들어가 망명을 신청하였습니다. 이들은 북한으로 돌려보내면 독약을 먹고 자살하겠다는 절박한 심정을 토로하였습니다.

이들이 스페인 대사관을 선택한 것은 스페인이 유럽연합 의장국인데다 최근 인권문제에 큰 관심을 가지는 나라이기 때문이었습니다. 한국의 외교통상부는 외교 경로를 통하여 이들에 대한 인도적 처리를 요구하고 스페인의 외무부 장관도 인도적 해결책을 강조함으로써 중국 정부는 이들이 3국 추방 형식으로 한국에 갈 것이라고 발표하였습니다. 이들은 스페인 대사관에 망명한 지 27시간 만에 북경 공항을 떠나고 필리핀을 경유해 한국에 도착했습니다. 짧은 시간에 이루어진 번개작전과 같은 것이었습니다.

이들은 1995년부터 탈북을 계획했고, 북한 난민 구호재단에서 일하는 한 재일동포가 이 일을 도움으로써 성사시켰습니다. 미리 외신기자에게 연락하여 스페인 대사관 앞에 오도록 하여 탈북자의 실정을 세계에 알리게 하고, 동시에 관계 부처에 연락하여 한국 정착을 위한 외교 교섭이 진행되게 하였습니다.

북한 당국과 주민들은 아직도 자기 나라가 세상의 낙원이라고 선전하고 있습니다. 그러나 국민들이 더 이상 살 수 없는 형편에 이르렀다는 것은 자타가 공인하고 있습니다. 세상 어디에 간들 북한보다는 살기가 좋을 것입니다. 죽음을 각오하고 탈북한 이들의 용기를 치하하며, 이들이 한국에서 환영을 받으며 잘 정착하여 새로운 삶을 살 수 있기를 기원합니다. 동시에 더욱 많은 북한 사람이 중국으로 여행하며 세계 형편을 알고 본국과 내왕함으로써 북한의 문이 점점 열리고 변화가 올 수 있기를 간절히 바랍니다.

탈북 번개 작전

>>> 어떤 죽음을 죽겠습니까? <<<

죽음을 생각하면 기분이 좋지 않은 것이 사실이지만 사람은 누구나 한 번은 죽습니다. 죽지 않는 사람은 아무도 없습니다. 누구나 피할 수 없는 죽음이지만 어떻게 죽는가 하는 것은 대단히 중요한 일입니다.

대부분의 경우는 나이가 많아서 또는 병이 들어서 죽습니다. 장수하는 사람은 복이 있다고 하지만 이는 일반적인 사람의 죽음입니다. 사고로 인하여 죽는 우발적인 죽음이 있습니다. 죄의 대가로 죽는 죽음도 있습니다. 죽음 자체가 죄의 형벌입니다. 아담과 하와는 영원히 살 수 있는 존재였지만 생명이신 하나님을 거역하고 죄를 지음으로 죽게 되었습니다. 죄의 삯은 사망입니다.

사회적으로도 죄를 지어 죽음을 당하는 사람이 있습니다. 나라를 배반하고 원수가 된다든지 사람을 죽이는 극악한 죄를 저지를 때 있는 일입니다. 죄인의 죽음입니다. 요즘 남을 죽이면서 함께 죽는 경우가 많습니다. 테러범들이 하는 일이요 중동에서 자살 폭탄을 사용하는 사람들의 소행입니다. 악인의 죽음입니다. 반면에 남을 살리면서 자기를 죽이는 자가 있습니다. 나라를 사랑하여 몸을 바치거나 전쟁에서 죽는 경우가 있습니다. 화재나 사고에서 사람을 구하다가 죽기도 합니다. 선인의 죽음입니다.

가장 독특한 죽음은 사람을 죄와 죽음에서 영원히 구하기 위한 예수 그리스도의 죽음입니다. 죄 없으신 예수님의 죽으심은 우리 모든 사람의 죄와 죽음을 대신한 것이기에 이는 구세주의 죽음입니다. 여러분은 어떤 죽음을 죽으시겠습니까?

누구나 한 번 죽지만 두 번 죽는 사람이 있습니다. 두 번째 죽음은 처음 죽음 후에 당하는 심판이요, 영원한 형벌의 고뇌입니다. 또한 예수 그리스도와 상관 없게 되는, 하나님과의 영원한 분리입니다. 예수님을 영접하여 새사람이 됨으로 거듭하여 태어난 사람은 한 번만 죽게 되고, 예수님 안에서 거듭난 일이 없이 육체로 한 번만 난 사람은 두 번 죽게 됩니다. 예수님의 죽음은 우리를 한 번만 죽게 하기 위한 것입니다.

어떤 죽음을 죽겠습니까?

>>> 기도로 세우는 교회 <<<

예수님께서 오늘 죽음을 이기시고 부활하심으로 우리 모두에게 생명과 소망을 주셨습니다. 주께서 부활하시기 위해서는 먼저 수난을 당하고 십자가에서 죽음을 겪으셔야 했습니다. 죽음이 없이는 부활이 없기 때문입니다. 우리 교회는 주님의 영광스런 부활을 경험하기 위하여 그의 고난에도 동참하고자 사순절 마지막 수난주간에 여러 가지 행사를 가졌습니다. 매일 특별 새벽기도회가 있어서 주님의 마지막 주간을 묵상하며 주님과 동행하였습니다. '36시간 기아 체험'을 통해 풍요한 환경에 살면서 주님의 금식과 전 세계 수많은 사람들의 기아에 동참하며 그들을 돕는 기회를 가졌습니다. 금요일 저녁은 예수님 일생의 마지막 장면을 화면으로 보며 그와 하나가 되는 축복을 가졌습니다.

수난주간 내내 진행된 것은 144시간 연속기도였습니다. 수년 동안 한 사람이 한 시간씩 정하여 기도 제목을 가지고 기도해

왔습니다. 특별히 금년에는 "기도로 그리스도의 몸을 세우자"는 표어로 진행했는데, 빈 시간 없이 모든 시간이 채워진 것이 참으로 감사합니다. 기도한 사람이 자기에게 해당되는 조각을 찾아 준비된 곳에 붙이니 교회의 공중사진 전체가 아름답게 완성되어 그것을 하나님께 봉헌했습니다. 교회는 나무나 돌로 지어지는 것이 아니라 그리스도를 모신 사람들, 특히 기도로 이루어진다는 의미이며, 어느 한두 사람이 아니라 온 교우가 함께 이룬다는 뜻입니다. 144는 12지파, 12사도를 곱한 것으로 신구약 전체 교회를 말하며 계시록에 나오는 새 예루살렘, 곧 교회의 크기에 해당합니다(계 21:17).

　예수님께서 죽으시고 부활하신 것은 우리를 구원하고 하나님 나라를 세우기 위해서입니다. 이를 위해 주께서 겟세마네 동산에서 기도하실 때 제자들은 깨어 있지 못하였습니다. 우리는 주와 함께 깨어 기도하며 주와 하나 되고, 우리의 뜻이 아니라 그의 몸된 교회를 세우는 일에 참여하기를 원하였습니다. 이번 기도로 하나님의 교회는 더욱 든든히 세워졌습니다.

298

>>> 새벽 행진 <<<

베들레헴 예수탄생 교회당의 새벽 종소리가 울리지 않게 되었습니다. 30년간 매일 새벽을 깨우며 종을 치던 사미르 이브라힘 살만이 지난 목요일 총탄에 목숨을 잃었기 때문입니다. 이스라엘 군인들이 베들레헴을 점령하여 시가전을 하게 되자 지난 화요일 팔레스타인 군인, 관리, 시민들이 이 교회 안으로 몰려들었습니다. 이 교회당은 기독교의 가장 귀한 성지의 하나이기에 팔레스타인이나 이스라엘 모두 이곳을 보호하고 있으므로, 안에서는 밖을 향하여 총을 쏘지만 이스라엘은 이 건물을 향하여 총을 쏘지 않습니다. 그래서 예배당 안에 있는 사람은 안전을 누릴 수 있습니다.

살만은 며칠 동안 예배당 안에 갇혀 있는 것이 답답하여 보통 때처럼 이른 새벽에 구유 광장을 지나 자기 집으로 가던 중에 누가 쏘았는지는 모르지만 가슴에 총을 맞은 것입니다. 그는 베들레헴 인구의 절반의 사람들처럼 팔레스타인 크리스천으로서 매일 새벽종을 쳤고, 예배 시간, 결혼, 장례를 알리는 종을 울렸습니다. 그러나 이제 그 종소리가 조용해졌습니다.

종소리는 새벽을 깨우고 양심과 영혼을 깨우는 소리입니다. 한때 교회의 종소리가 서울의 새벽을 깨웠습니다. 그러다가 그 종소리가 시민들의 단잠을 방해한다는 불평 때문에 조용해졌습니다. 종소리를 싫어하는 사람들이 있습니다. 바로 양심과 영혼에 자극 받기를 싫어하는 병든 사람들입니다. 종소리는 들리지 않지만 새벽마다 구름 같은 인파가 교회로 몰려갑니다. 서울에는 2만 명이 모이는 새벽기도회가 있습니다. 본 한미 제단에는 지난 2월 첫 토요일 새벽에 105명이 모였고 수난주간에도 많은 성도들이 모였습니다. 영혼을 일으켜 역사를 깨우고 싶어하는 사람들입니다. 독일의 교회는 지붕 첨탑 위에 수탉을 달아두고 있다고 합니다. 베드로를 깨우친 닭소리를 기억하며 교회가 바로 역사와 나라를 깨우는 양심이라는 것입니다. 종소리는 들리지 않는다 해도 교회와 성도가 있는 곳에는 새 아침이 밝아옵니다. 역사와 새날을 깨우는 교회의 새벽 행진에 우리는 함께 참여하고 있습니다.

새벽 행진

>>> 갈등을 해결하기 위해서 <<<

이스라엘과 팔레스타인의 충돌이 가라앉지 않고 있습니다. 1년 반 전에 이스라엘의 샤론 총리가 예루살렘 통곡의 벽 위의 지역을 방문함으로써 충돌과 함께 자살 테러가 시작되었습니다. 그리고 날이 갈수록 갈등이 심화되고 폭탄의 위력이 점점 커져서 한번에 수십 명의 사상자가 생기고 있습니다. 유대인이 유월절을 지키고 있는 동안 자살 테러로 수많은 사람이 죽게 되자 이스라엘은 생존 문제라고 하면서 탱크로 팔레스타인 지역에 진입하고 실제적인 전쟁을 시작했습니다. 그리고 중요한 도시를 모두 점거하고 테러범을 색출, 체포하고 있습니다.

이스라엘의 가장 가까운 우방인 미국 대통령은 중동 평화를 위해 특사를 파송하였으나 도움이 되지 않자, 다시 파월 국무장관을 보내며 이스라엘 총리에게 점령 지역에서 즉각적인 철수를 하고, 팔레스타인 지도자 아라팟에게는 자살 테러를 중단하라고 요청하였습니다. 그러나 사태에 아무런 변화가 없습니다.

미 국무장관은 미리 아랍 지도자를 만나고 러시아, 유럽공동체 대표, 유엔 대표들과 중동 사태를 논의하고 그의 사명을 확인하였지만, 이번 그의 여행은 '불가능한 사명, 불가피한 사명' 이라고 불렸습니다. 이스라엘과 팔레스타인을 중재할 나라는 미국밖에 없다는 면에서 그의 여행은 불가피한 것이었고, 두 나라 사이의 갈등을 해결하고 평화를 가져오는 일은 불가능하다는 것을 누구나 알고 있기 때문입니다. 이스라엘과 팔레스타인이 서로를 인정하고 존중하며 나란히 함께 살 수는 없을까요? 서로가 자기만을 주장하는 동안은 불가능할 것입니다. 지도자가 천진한 사람들을 내세워 자살 테러를 하는 동안은 일의 해결이 조금도 진전되지 않을 것입니다.

개인과 개인 사이에도 해결 없는 갈등이 있습니다. 미움과 원한의 쓴 뿌리 때문에 일어나는 비극이 많습니다. 하나님과 사람은 원수였습니다. 그러나 하나님이 그 자리를 비우고 이 땅에 오셔서 십자가에서 죽음으로 화목제물이 되었습니다. 그를 통해서만 하나님과 사람은 화해하고 평화하게 되었습니다. 누가 이런 화목제물이 될 수 있겠습니까?

□■ 목사와 교인의 만남 ■□

>>> 대심방 지침 <<<

지난 2년 동안 실시하였던 대심방이 봄에 있었기에 금년에는 대심방이 어떻게 되는지 하는 질문이 있었습니다. 금년에는 대심방을 재고하도록 당회가 결정하였습니다. 교역자 4명이 구역장, 장로, 권사와 함께 처음 대심방을 실시하였을 때는 반응이 좋았습니다. 그러나 대심방의 의미와 효과에 대해 새로운 평가를 하게 된 것입니다.

3-4개월 동안 하루 저녁 평균 세 가정을 분주하게 심방하다 보니, 가족을 만나고 예배는 드리지만 서로 마음을 나누며 대화할 시간이 너무 부족하다는 것입니다. 더욱이 부교역자의 경우에는 심방하는 가정을 알지도 못하는 경우가 많기에 형식적으로 지나가는 심방은 의미가 없다는 결론을 내리고, 대신 담임목사가 충분히 시간을 내어 교우들을 살펴 달라는 것이었습니다.

적절한 결정일 수도 있지만 현실적으로 얼마나 가능할는지 의문이 있습니다. 주중 저녁에 교회 회의, 행사와 프로그램이 많이 있기에 심방할 수 있는 날이 제한되어 있습니다. 또한 하루 저녁에 한 가정을 심방할 때 충분한 시간을 가질 수 있다고 하면 얼마나 많은 가정을 심방할 수 있느냐 하는 것입니다. 낮 시간에는 업소로 방문한다고 하지만 일과가 분주한 업소에서 대화를 나눌 시간이 부족한 것이 또한 현실입니다.

교역자만 아니라 장로, 구역장도 목자의 심정으로 함께 협력하여 최선을 다해 교우들을 섬기기 위해 항상 준비된 마음이겠지만 몇 가지 부탁을 드리고자 합니다. 심방과 기도가 필요할 때는 주저하지 말고 알려주시기 바랍니다. 응급이나 특수 사정은 항상 우선권을 가집니다. 새로 등록한 교우들과 질병이나 우환, 소외된 분들도 먼저 보살핌이 필요합니다. 주일예배 후에는 목자와 잠깐이나마 인사를 나눌 수 있도록 협력하여 주시기를 바랍니다. 목자가 양을 돌보고 잘 섬기기 위해서는 서로 알아야 합니다. 우리 교회 규모에서는 서로 협력만 잘하면 목자와 양이 서로를 잘 알고 섬기며 행복한 관계를 맺을 수 있습니다.

>>> 믿음을 굳게 지킨 38년 <<<

오늘 본 교회 38년의 생일을 맞아 지금까지 지키시고 인도하신 하나님께 감사를 드리며, 그동안 몸과 마음, 정성을 모아 함께 섬기며 교회를 이루어 온 여러분에게 치하와 감사를 드립니다. 38년은 결코 짧은 시간이 아닙니다. 성경에 나오는 38년은 고난과 은총과 관련되어 있습니다.

모세는 이스라엘 백성이 약속의 땅에 들어가기 직전에 그들이 38년간 광야생활을 하였다고 회고하였습니다(신 2:14). 힘들고 어려운 여정이었지만 하나님이 함께하시는 보호와 공급을 받으며 하나님의 능력과 은혜를 체험한 기간이었습니다. 어려운 때에 하나님을 시험하다가 낙오하는 자도 있었지만 믿음으로 하나님을 바라보며 가까이한 자들은 안식의 땅에 들어갔습니다.

베데스다 못가에서는 38년 된 병자가 예수님을 만남으로 그의 질병이 치료되고 새로운 삶을 얻었습니다(요 5:5). 고난 가운데도 포기하지 않고 믿음을 가짐으로 안식과 건강한 삶을 누리게 된 것입니다.

우리 한미교회 성도님들은 지난 38년 동안 하나님이 살아 계
셔서 인도하시고 돌보시며 채워 주심을 체험하는 가운데 하나님
을 바라보며 믿음을 굳게 지킨 사람들입니다. 이제 가나안에 들
어가는 사람들에게 하나님은 그의 말씀을 따라 살라고 하시고,
병에서 고침 받은 사람에게는 더 심한 병이 걸리지 않게 죄를 짓
지 말라고 하신 것을 봅니다. 우리는 계속적으로 하나님의 말씀
을 따라 그와 가까이하기를 원합니다. 하나님의 이름과 말씀이
존중을 받고 그 말씀대로 사는 교회가 되기를 바랍니다. 하나님
께서 사랑하고 원하시는 일이 이루어지는 교회가 되기를 바랍니
다.

하나님은 모든 사람이 구원되는 것을 원하시기에 세계를 품
는 선교와 사랑의 봉사는 우리의 중요한 사명입니다. 하나님은
우리가 주의 인격과 형상으로 자라나기를 원하시기에 성령의 역
사를 의지하는 말씀의 양육이 계속될 것입니다. 하나님은 우리
와 가까운 친구가 되기를 원하시기에 우리는 그에게 가까이 나
아가 그를 찬양하고 기도함으로 그와 깊은 관계를 나누는 축복
을 가질 것입니다.

□■ 목사와 교인의 만남 ■□

>>> 국가 기도일 <<<

시카고 경찰청에서 33년간 재직하며 고위간부요 형사국장으로 전설적인 공을 세우다가 1986년에 은퇴한 윌리엄 한하르트가 지난 주간에 보석절도단 두목으로서 15년 8개월의 징역형을 선고받고, 5백만 달러 배상 판결을 받았습니다. 그는 자신이 재직하던 33년 동안 자기 위치를 이용하여 보석 세일즈맨의 여행 일정을 알아내어 절도를 일삼았다는 것입니다. 경찰과 형사는 국민들의 생활 안전과 치안 유지를 책임지고 신임을 받는 사람들인데, 그런 믿지 못할 일을 했다는 사실은 우리를 너무나 슬프게 합니다.

최근 미국 가톨릭의 추기경들이 로마 교황청의 소환을 받고 성직자들의 연소자 성추행에 관한 실정과 함께 대책 지시를 받고 돌아왔습니다. 그러나 계속하여 이와 관련한 사례가 보도되고 있습니다. 이전에 보스턴 지역의 폴 샨리 신부는 7년에 걸쳐 연소자를 성추행한 혐의로 체포되었습니다. 성직자라면 믿고 자녀들을 맡겨 신앙 교육을 받게 하는데 이런 일이 생기니, 이제는 믿을 사람이 아무도 없구나 하는 생각을 하게 됩니다. 치안과 신뢰에 있어 가장 존중을 받아야 할 사람들이 어떻게 이런 죄를 저지를 수 있습니까? 고의적인 것이라기보다는 가장 흔한 유혹에 넘어간 것이라고 보여집니다. 사단은 사회나 교회에서 책임적인 위치에 있는 사람을 공격합니다. 그러기에 우리는 시험에 들지 않게 기도하면서 또한 저지른 잘못을 회개하고 다시 반복하지 않아야 합니다.

지난 목요일은 미국의 국가 기도일로서 각 곳에서 대통령과 장관, 행정직의 사람들, 상·하 양원 국회의 입법자들, 사법계의 판검사와 변호인들, 경제인, 군인 경찰, 국가를 위하여 기도하였습니다. 성경에는 1년에 한 번씩 대제사장이 전 국민의 죄를 대속하고 위하여서 기도하는 날이 있습니다. 우리는 국가나 교회의 지도력을 위하여 기도해야 합니다. 동시에 우리는 연약한 존재임을 인식하고, 선 줄로 생각하는 자는 넘어질까 조심하라는 말씀을 따라 항상 경성하며 주의 도우심을 힘입어야 할 것입니다.

>>> 어머니를 기억하는 날 <<<

오늘은 세계의 많은 나라가 지키는 어머니 주일입니다. "어머니"라고 부르면 우리 가슴에서 뭉클하게 어머니의 사랑이 일어남을 느끼기에 이 날은 어머니를 소중하게 기억하고 존중하는 복된 날입니다.

이 어머니날의 시작은 언제입니까? 고대 희랍에서 어머니날을 가졌고, 영국에서는 17세기에 사순절 4주를 어머니 존경의 주일로 지켰습니다. 미국에서는 하우 여사가 1872년에 처음 어머니날을 제안했습니다. 남북전쟁으로 피차 상처가 많은 때였기에 평화를 위해 바치는 날로 정하자는 것이었습니다. 어머니날 선포에는 다음과 같은 구절이 있습니다. "오늘의 여인이여 일어나라. 심장이 있는 여인은 일어나라. 남자가 농사일을 두고 전쟁에 나간 때 여인들은 집안일을 뒤에 두고 함께 모여 신중하게 의논해 보자. 먼저 죽은 자를 슬퍼하고 기념하자. 서로 의논하여 인류 가족이 평화롭게 살 수 있는 길을 찾아 보자."

앤 마리 잘비스는 남북전쟁 중 지역주민의 건강과 평화를 위하여 여러 일을 하면서 전쟁의 상처를 씻고자 '어머니 우정의 날' 제정을 위해 노력하였습니다. 그가 필라델피아에서 1905년 5월 9일 72세로 죽자 모교회인 웨스트 버지니아 그래프턴의 앤드류 감리교회는 그를 추모하며 72번의 종을 울렸습니다. 딸 안나가 어머니 추모 2주기 행사를 하면서 어머니들을 존경하는 날을 정하자는 운동을 벌여 1910년 웨스트 버지니아가 먼저 어머니날을 제정하고, 1914년에 윌슨 대통령이 5월 둘째 주일을 어머니날로 선포한 것이 오늘 우리가 지키는 어머니날의 유래입니다.

남자들은 전쟁에 나갑니다. 사업에 전념합니다. 집을 비웁니다. 어머니는 가정을 지키며 자녀들을 돌보고 기릅니다. 어머니의 가슴에 있는 것은 가정의 건강과 평화요, 사랑입니다. 내 가정만 아니라 지역사회와 나라 전체의 가정이 어머니의 관심입니다. 어머니가 있기에 오늘 우리가 있고 아름다운 우리 사회가 있습니다. 어머니에게 깊은 존경을 드립니다.

어머니를 기억하는 날

>>> 치료하며 사는 삶 <<<

치료가 어려운 병이라도 일찍 발견하기만 하면 치료가 가능한 것이 많습니다. 정기적인 검진이나 증세를 봐서 일찍 발견할 수 있습니다. 한때 한국에서 결핵은 망국병이라고 불렸습니다. 전염성이 강한 결핵은 보통 미열과 기침, 가래에 피가 섞여 나오는 증세가 있습니다. 사람이 피를 보면 놀라게 되고 얼른 병원을 찾게 됩니다. 그러나 어떤 경우는 증세가 전혀 없다가 병이 깊이 진전된 이후에 갑자기 쓰러져서 치료가 어려워지는 경우가 있습니다. 증세가 일찍 나타난다는 것은 어느 면에서 복입니다.

지난 9월 11일 뉴욕 세계무역관과 워싱턴 국무성을 공격한 테러 행위는 역사상 유례가 없던 가장 끔찍한 사건이었습니다. 정보가 어느 나라보다도 발달한 미국이 어떻게 그것을 사전에 모르고 있었는가 하는 것이 의문이었습니다. 사건 8개월이 지난 지금에 와서 테러의 정보가 미리 있었다는 것이 나타났습니다.

테러 2개월 전부터 오사마 빈 라덴이 지휘하는 알카에다가 미국 비행기를 납치할 수 있다는 정보가 있었습니다. 많은 아랍 사람들이 비행 학교에서 훈련받는 것도 알았습니다. 대통령에게도 보고가 되었습니다. 비행기 회사에 주의와 경고가 내려지기도 하였지만 일반적인 비행기 납치로만 생각했지, 건물로 날아드는 그런 테러라고는 상상하지 못했던 것입니다. 국회의 질문과 조사는 대통령이 테러의 정보를 얼마나 알고 있었으며 그가 무슨 행동을 취하였나 하는 것입니다. 정보기관과 수사기관이 잘 협력하였더라면 테러를 막을 수도 있었을 것입니다.

우리 삶에도 증세가 있습니다. 마음속에 섭섭함, 분노와 미움, 원한과 쓴 마음, 정욕과 욕심이 있는 것은 더 큰 것이 올 수 있다는 증상입니다. 이러한 것들이 인격과 가정, 공동체를 깨뜨릴 수 있습니다. 사회의 풍조, 폭력, 범죄는 세상이 크게 병든 것을 보여 줍니다. 인종과 종교의 갈등, 국가간의 긴장도 증상입니다. 모두가 파괴될 수 있습니다. 함께 살기 위해서는 깨어 머리를 들고 각자 자기 속에 있는 증상을 치료하고 제거해야 할 것입니다.

>>> 건강한 가족 관계 <<<

가정의 달 5월 마지막 월요일은 미국의 현충일입니다. 현충일은 뉴욕 워털루의 약사 웰스가 남북전쟁에서 죽은 병사들을 존중하여 그들의 무덤을 장식하자고 제안한 것이 수용되어, 1866년 5월 5일 워털루 주민들이 국기를 반 높이로 게양하고 군악에 맞추어 행진하며 전몰 장병 무덤에 화환과 십자가를 놓고 의식을 가짐으로 시작되었습니다. 이것이 확산되어 2년 후 미국은 현충일을 5월 30일로 정하였는데, 얼마 후에는 남북전쟁만 아니라 모든 전쟁에서 전사한 군인들을 기억하게 되었습니다.

그들은 존귀하게 기억될 만합니다. 그들이 정의와 평화를 위해 목숨을 바쳤기에 오늘 자유로운 나라가 있는 것이고 우리가 행복한 가정을 가질 수 있게 되었습니다. 하나밖에 없는 생명이요 한 번밖에 없는 인생이지만, 그들은 가족과 나라의 안전과 번영, 세계의 평화를 위해 생명을 바친 것입니다. 생명을 바쳐 얻은 나라와 가정이기에 귀하게 보전해야 합니다.

'아무리 초라해도 내 집 같은 곳이 없다' 라고 하는데, 집과 가정은 어떤 곳입니까? 나그네의 외로운 인생길에 우리가 소속감을 가지고 한 존귀한 사람으로서 인정과 보살핌을 받는 일차적인 인간관계를 맺는 곳입니다. 건강한 관계는 저절로 오지 않습니다. 부부와 부모자녀 사이라도 시간을 내어 대화하며 서로 이해하고 용납하는 사랑과 용서가 있어야 합니다. 외부에서 상처 받고 피곤한 몸과 마음이 안식과 치료를 얻고 보호를 받을 수 있어야 합니다. 가정은 삶의 목적과 가치가 확립되고 그것이 실현될 뿐 아니라, 부모는 자녀에게 모범이 되고 자녀는 부모에게서 사랑의 훈련을 받는 곳입니다. 가정에서 한 사람의 인격과 삶의 바탕이 세워집니다.

예수님께서 피 흘려 세우신 교회는 영적인 가족입니다. 하나님은 아버지요, 성도들은 형제자매이기에 교회는 한가족입니다. 이번 수양회는 우리가 한가족임을 더욱 확실하게 해줄 것입니다. 개인적으로 가정이 행복하기 위해서 노력하듯이 우리가 서로 협력할 때 건강한 영적인 가족이 될 것입니다.

건강한 가족 관계

>>> 이민자의 애환 <<<

꿈은 삶에 참으로 귀한 역할을 합니다. 고생스럽게 땀 흘리고 일하면서도 꿈이 있기에 기쁨을 가집니다. 꿈은 오늘을 넘어 내일을 붙잡게 하며, 꿈의 성취를 믿음으로 바라보고 힘있는 걸음을 내딛게 합니다. 이민 온 사람들은 누구나 꿈의 사람입니다. 그들은 꿈에 자신을 바쳤습니다. 황야를 개척하고 동서남북 길을 닦고 도시를 건설하였습니다. 자유와 정의, 평화를 심었습니다. 그러나 꿈은 당대에 다 이루어지는 것은 아닙니다. 마틴 루터 킹 목사는 흑백이 함께 나란히 살 수 있는 날을 꿈꾸었지만 그 꿈이 이루어지는 것을 보지 못하고 쓰러졌습니다. 아브라함이나 요셉, 모세 같은 인물들도 하나님이 주신 꿈을 소유하고 있었지만 그들은 삶에서 꿈의 성취보다는 계속 꿈이 죽는 경험을 했습니다. 결국 같은 믿음을 가진 후대 사람들에 의하여 그 꿈이 이루어졌습니다.

미국의 젊은이들이 꿈을 가지고 전쟁에 나가 생명을 바친 것을 기억하는 메모리얼 데이에 우리 노회에 속한 젊은 목사님 한 분이 갑자기 심장마비로 하나님 앞에 가게 되었습니다. 그분은 일찍 소명을 받고 교육과 훈련을 거쳐 주의 종으로 헌신하였습니다. 꿈을 가지고 도미하여 공부하고 일하였습니다. 하나님을 사랑하고 사람을 사랑하여 주님께로 인도하며 개척 교회를 설립하고 열심히 섬겼습니다. 가정생활과 아들딸 교육을 위해 쉬는 날이 없이 밤낮 뛰었습니다. 한국에서 방문 온 친척과 시간을 보내고자 하루를 쉰 것이 익숙하지 않아서인지, 그렇지 않으면 쉬는 것을 너무나 갈망해서인지 갑자기 심장이 멈추고 말았던 것입니다. 꿈을 이루어 가다가 중간에 그 꿈이 깨어진 것입니다.

이것이 이민자와 목회자의 애환입니다. 많은 분들이 애도하고 교단의 모든 목회자들이 장례 절차 끝까지 유족과 함께하며 그의 꿈을 같이 이루어 가자고 하였습니다. 고인의 딸 한나는 작년에 우리 교회 청소년들과 함께 멕시코 선교를 다녀왔기에 우리 교회 젊은이들이 모두 참여했습니다. 이러한 모습을 보며 하나 되어 함께 하나님의 역사를 이어가는 아름다움을 느꼈습니다.

>>> 복음에도 열정 <<<

한국과 일본에서 동시에 열리고 있는 월드컵 축구대회에서, 지난 6월 4일 한국이 폴란드와의 경기에 2대 1로 이겼습니다. 이는 한국의 월드컵 참가 48년 역사에 처음 있는 일이라 온 국민이 열광하는 것은 당연한 일입니다. 다른 일이 손에 잡히지 않을 정도로 모든 사람의 대화와 관심이 월드컵에 쏠리고 있습니다.

특히 네덜란드인 히딩크 감독에 대한 찬사가 대단합니다. 그는 선수들에게 과학적인 체력 훈련을 시켜 '몸으로 때우는 된장 축구'에서 '파워와 테크닉이 잘 어우러진 선진 조직 축구'를 체화하였고, 선수 '전원 공격 전원 수비'라는 '토탈 사커'를 시도하여 성공했다는 것입니다. 시간대가 맞지 않아 이곳에서는 실제 경기를 보기는 어렵지만 우리에게도 같이 열기가 생기는 것을 봅니다.

한국만 아닙니다. 유럽의 각 나라들도 열기가 대단하다고 합니다. 이탈리아에서는 모든 국민이 이 경기에 **빠져** 있고 재판정도 쉴 정도라고 합니다. 5월 31일에 개막하여 31일 동안 진행되는 이 경기는 과히 지구촌 60억 인류의 축제라고 부릅니다.

국제축구연맹(FIFA)은 1904년에 조직되었지만 그동안 축구 경기는 올림픽의 종목으로 진행되었습니다. 아마추어 올림픽에서 전문성 축구를 만들고 국제축구연맹이 주관하기 위하여 1930년 첫 경기를 우루과이에서 개최함으로 월드컵이 탄생하였습니다. 지역 예선을 거친 32개국 팀이 8개조로 나누어 경기를 하는 동안 온 세계에 축구 열기를 일으킵니다. 이 경기로 일본 수상, 독일 대통령뿐 아니라 많은 나라의 정치 지도자와 국민들이 대거 한국을 방문함으로써 한국의 아름다운 모습을 보여 주는 좋은 기회가 됩니다.

우리 성도들은 복음에 이런 열정을 가지기 원합니다. 그리스도의 복음은 영원한 생명과 승리를 줍니다. 졸업 감사예배와 제자양육 수료 감사예배를 드리면서 모든 교인들이 체계적인 훈련을 받은 그리스도의 제자요, 군사로서 뜨거운 열정과 확신을 가지고 복음을 증거하며 주의 나라 확장에 함께 참여하기를 기대합니다.

>>> 삶을 변화시키는 촉매 <<<

테러와의 전쟁이 계속되는 가운데 미국은 테러를 대비한 국가 안전을 지휘하는 정부 부처를 조직하고자 합니다. 중동에서는 연일 자살 폭탄으로 많은 사람이 죽고 있습니다. 지난 화요일에는 방사능 폭탄 공격 음모 용의자로 호세 파디야가 체포되었다는 보도가 나왔습니다. 그는 아프가니스탄과 파키스탄에서 빈 라덴의 테러 조직 알카에다의 지도를 받아 방사능 폭탄 제조법을 배워 미국에서 테러를 일으킬 계획을 하고 입국하다가 오헤어 공항에서 체포된 것입니다. 그는 푸에르토리코 출신으로 뉴욕에서 출생하여 미국에서 자라고 부모에게서 가톨릭 교육을 받았습니다. 그가 어떻게 그런 일을 할 수 있었겠습니까? 그는 무엇을 원하고 있는 것입니까?

그는 5세에 시카고로 와서 갱 단원이 되고 15세에는 살인과 관련해 3년간 복역했습니다. 그 후 남부 플로리다로 가서 갱 사건으로 10개월간 감옥 생활을 하였습니다. 타코 벨 식당에서 일하는 동안 회교로 개종하여 이름을 이브라임으로 바꾸고, 아라 팟이 쓰는 카피예라 부르는 머리수건이 좋아 그것을 쓰고 다니며 이름을 다시 압둘라 알 무하지르로 바꾸었습니다.

아랍어로 무하지르는 '이민, 나그네'라는 뜻이라고 합니다. 그의 삶은 정착되지 않는 이민의 삶이었습니다. 학교에서 나왔으나 직장이 없고 동시에 연결하고 묶어 주는 소속이 없는 불안한 삶을 사는 젊은이, 뿌리 없는 난폭한 사람에게는 알카에다 같은 국제 테러 조직이 구원자가 된 것이라고 분석하는 사람들도 있습니다. 전통적인 미국 문화와 가치에 동화하지 못하고 밀려나 왕따를 실감하며 좌절, 두려움과 분노를 느끼는 젊은이에게 과격하고 급진적인 이슬람의 가르침은 모든 것의 대답이 된다는 매력과 함께 그들의 삶을 변화시키는 촉매가 되는 것입니다.

사랑과 인정을 받는다는 것과 소속감은 건강하고 힘 있는 삶의 중요한 요인이 됩니다. 하나님에게 용납되어 삶의 목적이 확실해지고 인간관계에서 사랑과 용납이 이루어지면, 이민자인 우리들은 참으로 역사에 남을 귀한 일을 할 수 있습니다.

삶을 변화시키는 촉매

>>> **교회의 기본 사명: 선교** <<<

지난 6월 15일에서 22일까지 오하이오 콜럼버스에서 모인 교단 214차 연차 총회는 교회를 교회 되게 한 모임이었습니다. 그동안 총회는 동성애자 안수 같은 사회문제에 수년간 시달렸습니다. 그러나 작년 총회 이후 절대 다수의 노회가 안수 받을 사람은 일남 일녀의 결혼 원칙을 지키든지 또는 독신으로 순결을 지키는 사람이어야 한다는 성경적인 원리를 고수함으로 그 문제는 일단락되었기에 이번 총회는 교회의 기본 과제를 다루게 되었습니다.

무엇보다 총회장에 이스라엘 출신 팔레스타인 사람 파헤드 아부 아켈 목사가 선출된 것은 선교의 열매를 거둔 것입니다. 그는 선교사에게서 복음을 받고 학생으로 도미하여 미국 시민이 되고 목사가 되었습니다. 이스라엘-팔레스타인 간의 투쟁과 종족 문제가 계속되는 가운데 그를 통해 긴급한 사명을 봅니다.

총회는 예수 그리스도께서 유일한 구주라는 사실을 다시 확

인하였습니다. 예수 그리스도 이외에도 구원이 있다고 주장하는
사람이 점점 많아지고 있어 신앙생활과 선교에 큰 위협이 되고
있는데, 예수 그리스도만이 구원의 길이라는 선언으로 선교의
사명을 새롭게 다짐하였습니다.

아울러 총회는 외국 선교와 개척 교회 설립을 위해 4천만 달
러 선교 기금 설치를 거의 만장일치로 승인하고, 앞으로 10년
동안 115명의 선교사를 파송하고 5년 동안 매년 50개의 개척 교
회를 설립하기로 했습니다. 기뻐하며 하나님께 영광을 돌립니
다. 교회 본연의 임무로 돌아온 것 같습니다.

오는 주간에 프린스턴에서 열리는 31차 한인교회총회의 주
제가 선교이기에 교단 총회의 결정에 큰 격려를 받습니다. 이미
선교를 교회의 기본 사명으로 인식하고 참여하고 있는 한인 교
회는 더욱 힘차게 협력하며 선교에 매진해야 할 것입니다. 우리
교회에서는 다음 주일 멕시코에 단기 선교사를 파송합니다. 선
교는 선교지에 직접 가든지, 물질이나 기도로 후원하든지 모두
가 같이 참여하는 것입니다. 선교와 인간 구원은 하나님이 교회
를 세우시고 성도들을 부르시는 중요한 이유입니다.

>>> 집을 세우는 기회 <<<

드디어 오랫동안 기다리던 교육관 기공 예배를 오늘 드리게 되었습니다. 교육관 건축의 필요성과 하나님의 소원을 보고 당회가 1997년 10월 건축위원회를 구성한 후, 온 교우의 기도와 봉헌이 있었습니다. 그리고 하나님의 인도하심 가운데 건축위원들이 열심히 섬김으로써 오늘 땅을 파게 되니 참으로 감사합니다. 그동안 건축 규모를 정하고 설계사 선정, 건축허가, 시공자 선정, 건축헌금 작정과 모금 및 은행 융자, 교육관 건축과 관련한 하수도 공사와 주차장 증설 등에 필요한 시간이 걸렸습니다. 그동안에는 준비를 하였지만 이제는 실제 건축이 진행됩니다. 하나님은 시작한 일을 완성하십니다.

성전이나 교육관 건축은 쉬운 일이 아닙니다. 성경과 역사를 보면 항상 반대가 있었고 힘들다는 불평이 있었습니다. 스룹바벨이 성전을 재건하고 느헤미야가 성벽을 중건할 때 그 일을 중단시키기 위해 말과 완력으로 막는 자들이 있었습니다. 백성들은 힘이 없는 데다 할 일이 많아 피곤하고 지쳐 좌절과 불평을 했습니다. 선지자 학개가 일어나 그들을 격려하고 느헤미야는 앞장서서 일을 진행하여 결국 성전 재건을 이루어 냈습니다. 건축은 돈과 자재로만 되는 것이 아니라 믿음과 용기, 기도와 사랑의 헌신으로 이루어집니다. 본 교회는 많은 어려움 속에서도 이미 본당을 건축하고 종합관(체육관)을 건축하였습니다. 교육관도 확실하게 완성될 것입니다.

저의 고향 교회는 할머니께서 초가집으로 시작하여 아버님께서 함석 지붕집으로, 동생이 벽돌집으로 중건하여 3대에 걸쳐 아름다운 교회당을 만들었습니다. 사랑으로 주의 집을 세웠더니 하나님께서 다윗과 같이 우리 집도 세워 주셨습니다. 이번 교육관 건축은 하나님이 우리 성도들의 집을 세워 주시는 기회입니다. 목회자로서 부탁하는 것은 은혜로운 완성을 믿고 하나님의 영광을 위해, 버그런드 시공회사와 건축위원들을 위해 매일 기도해 달라는 것입니다. 그리고 계속 정성과 물질로 봉헌합시다. 하나님이 완성하시는 기쁨에 우리 모두 함께 참여할 수 있을 것입니다.

집을 세우는 기회

>>> 은혜에 감사하자 <<<

지난 주일은 이동우 장로님이 자부를 맞는 기쁨으로 풍성한 감사의 점심이 준비되었습니다. 마침 제 생일이 겹치게 되어 큰 케이크에 61개의 촛불을 켜고 온 교우들의 축하 노래와 기도를 받는 기대하지 못하던 일이 있었습니다. 한편으로 미안하기도 하면서 또한 교우들에게 받는 사랑에 대한 감사의 마음도 컸습니다. 누구나 그러하겠지만 저는 생일을 지나면서 지나온 날을 돌아보고 앞날을 내다보며, 저의 삶 전체가 하나님의 은혜임을 고백하고 감사를 드리며 주께 새롭게 의탁하게 되었습니다.

저는 무지와 미신으로 가득 차고 문화 혜택이 없는 산골에서 태어났습니다. 그러나 할머님을 통해 일찍 복음을 받은 것이 너무나 귀한 축복입니다. 키도 작고 모양새가 하나도 없지만 그리스도의 복음이 저를 붙잡고 인도하였습니다. 제가 받은 구원의 은혜를 인생의 방향이 확실치 않는 사람들에게 나누어 주고 싶은 마음으로 고교 시절 헌신하고 준비하며 대학에 입학하였지만 마음이 달라졌습니다. 그 후 피를 토하며 폐에 구멍이 뚫린 상태에서 요양소를 찾았을 때 "내가 죽지 않고 살아서 여호와의 행사를 선포하리로다"(시 118:17)라는 말씀을 받았습니다. 그리고 나를 단련하는 뜨거운 풀무 속에서 나를 바라보고 계시는 하나님의 눈과 마주치고 나를 잡고 있는 그분의 손을 보면서, 감사함으로 삶의 확신을 가지고 방향을 새롭게 하였습니다.

요양소에서 나와 직장을 얻고 가정을 이루고 신학교에서 훈련 받아 졸업하고 사역은 했지만 매일 육체의 연약함과 싸웠습니다. 음식을 소화하지 못하고 피곤함과 약함에 휩싸였습니다. 주께 헌신한 주의 종을 왜 이렇게 만드시나 하는 의문도 있었지만, 약하기에 자신을 의지하지 않고 능하신 하나님을 의지하게 된 것이 큰 축복이요 감사였습니다. 지금도 제게는 무능하고 약한 것뿐이기에 나를 부르신 하나님의 손을 붙잡고 주께서 저를 통해 오직 자기 영광을 나타내시는 것이 소원입니다. 저를 위해 기도하고 사랑해 주신 것에 감사하며 앞으로도 계속적인 기도를 부탁합니다.

326

□■ 목사와 교인의 만남 ■□

>>> 죄의 인정과 용서 <<<

미국 법에 유죄협상제도(Plea Bargaining)라는 것이 있습니다. 용의자가 재판 과정에서 자기의 유죄를 인정하고 수사에 협조하여 형벌에 감형을 얻는 것입니다. 지난 주간 9·11 테러와 관련된 두 사건에 이런 일이 생겼습니다.

미국인 탈리반이라 부르는 존 워커 린드가 아프가니스탄에서 알카에다와 함께 미국에 대항하여 싸우다가 작년 12월 체포되었습니다. 그는 캘리포니아 상류사회에서 고등학교를 다니다가 회교도로 개종하여 중앙아시아로 가서 교리를 배웠습니다. 그리고 거기서 급진파에 가담해 결국 조국과 싸우게 된 것입니다. 10가지 죄목으로 종신형과 90년 형을 받을 형편이었지만 무죄를 주장하다가 지난 월요일 갑자기 두 죄목을 인정하였습니다. 알카에다를 도왔다는 것과 무장하고 싸웠다는 것입니다. 이로써 그는 20년 형을 받게 될 것이라고 합니다.

9·11 테러 공격과 관련하여 20번째의 납치범으로 알려진

사가랴 무사우이는 모로코 출신 프랑스 국민으로 미네소타의 비행 학교에서의 수상한 행동으로 이민국에 체포되었습니다. 그리고 그가 바로 알카에다 단원이요 과격한 테러주의자임이 드러났습니다. 그도 계속 무죄를 주장하다가 지난 목요일 갑자기 "내 생명을 보존하고자 완전한 양심으로 유죄를 인정한다"라고 하였습니다. 그가 죄를 인정하지 않아도 밝혀진 죄의 증거로 극형을 받을 것이기에, 그는 재판에 협조하고 감형을 받기 위해 유죄 인정을 한 것입니다. 이제는 배심원들이 그의 형벌을 정할 것입니다.

우리는 어떠합니까? 하나님 앞에서 죄 없는 사람은 아무도 없다고 하는데 우리는 자신의 죄를 인정하지 않는 경향이 있습니다. 모든 잘못이 남의 탓이라고 단정하고 비평하며 욕합니다. 그러나 자기의 죄를 인정하는 자는 하나님에게 불쌍히 여김을 받고 용서를 받습니다. 자기 잘못을 인정할 때 남들이 관용을 베풀며 그들의 잘못을 너그럽게 용서해 줄 것입니다. 또한 분노와 테러를 몰아낼 수 있을 것입니다. 우리는 곧 하나님의 심판대 앞에 설 것입니다. 오늘 죄인임을 인정하며 서로 받아 줄 수 있기를 바랍니다.

>>> 진정한 승자 <<<

미국 민주주의는 법과 회의를 통하여 발전되어 왔습니다. 두 사람이 한 사람보다 낫기에 민주주의는 한 사람의 생각보다는 많은 사람들이 좋다고 생각되는 의견을 개진하고 토의하여 가장 좋은 것을 선택하는 것입니다. 사람마다 의견이 달라 갈등과 충돌이 있고 때로는 자기 의견을 주장하고 관철하기 위한 노력도 하지만, 마지막에는 다수가 원하는 바에 따라 결정이 되고 사람들은 그 결정을 존중하는 것이 민주주의의 기본이요 힘입니다.

시카고 시장이 진행한 오헤어 공항 확장 계획은 공항 근처 주민들에게 심한 반대를 받았습니다. 일리노이 출신 두 상원 의원도 서로 의견이 다릅니다. 그러나 연방 하원이 확장을 결의하고 상원이 인준하면 반대는 끝이 나고 일은 진행됩니다. 이것이 200년 이상 걸어온 미국 민주주의의 길입니다.

회의가 쉽게 진행되는 것은 아닙니다. 의견이 다를 때 목소리가 커지고 서로 비판하며 공격하는 일도 있어 회의가 곤경에 빠지기도 합니다. 진행자는 법을 따라 정한 시간에 효과적으로 안건을 처리하기 위하여 애를 쓰지만 어려울 때가 많습니다.

모든 사람의 의견을 다 수용하는 것은 어려운 일입니다. 목회자는 회의를 진행해야 합니다. 저는 회의를 진행하는 것을 어렵게 생각합니다. 회의를 진행하다가 때로는 은혜를 잊어버리는 약함과 고통을 가지기 때문입니다. 회의에서는 숫자로 안건을 결정합니다. 다수가 승리자요, 소수가 패배자입니다. 사람에게는 다수결이 최상의 방식이겠지만 하나님에게는 그렇지 않습니다. 엘리야는 홀로 850명의 바알과 아세라 선지자와 마주섰습니다. 회의로서는 엘리야가 참패할 것이지만 하나님은 그의 편에 있었습니다.

민주주의의 다수결이 때로 교회에서 문제가 되는 것은 하나님의 생각과 사람의 생각이 다르기 때문입니다. 하나님은 사람의 수에 상관하지 않습니다. 혼자라는 외로움 속에서도 하나님이 함께하시면 진실로 승자입니다.

>>> 하나로 뭉치면 생명을 일으킨다 <<<

우리 주변에서 인정 없고 포악한 일을 저지르는 사람들을 많이 봅니다. 며칠 전 시카고 남부에서는 어떤 사람이 운전 부주의로 인도에 있는 사람에게 부상을 입혔다고 해서 그곳에 있던 자들이 그 운전자와 옆에 타고 있던 승객을 끌어내려 벽돌과 주먹으로 치고 때려 죽게 한 일이 일어났습니다. 이스라엘에서는 하마스가 히브리 대학 식당에 폭탄을 터뜨려 미국인 5명을 포함해 7명이 죽고 80명이 부상한 일이 있었습니다. 한국에서는 최초의 여자 국무총리 임명자를 난도질하고는 국회가 부결하였습니다.

이런 암울한 형편에서도 우리에게 빛과 소망을 주는 이야기가 있습니다. 펜실베이니아 퀘크릭 탄광 지하 240자 좁은 갱 속에서 함께 일하던 9명의 광부들은 폐광 갱벽을 잘못 뚫어서 갱이 무너지고 물이 범람하는 곳에 갇히게 되었습니다. 이런 사고의 경우 생존자가 거의 없는데 이들은 77시간 만에 한 사람도

상하지 않고 모두 무사히 구출되었습니다.

그들은 즉시 기도하며 어떻게 죽을 것인지를 결정하였습니다. 누구도 혼자 죽게 하지 말자고 하여 그들은 얼음같이 찬 물속에서 서로 부둥켜 안고 몸을 하나로 묶었습니다. 물에 젖은 마분지에 하나밖에 없는 펜으로 아내와 자녀들에게 하는 마지막 말을 돌아가며 썼습니다. 밖에서는 100명 이상의 구조대가 신속하게 밤낮없이 일하였습니다. 그들이 있는 땅속으로 6인치 크기의 굴을 뚫고 호스를 통하여 더운 산소 바람을 내려 보냈습니다. 또 다른 굴을 뚫고는 펌프를 사용하여 1분에 2만 갤론의 물을 뽑아냈습니다. 코에까지 차던 물이 빠져나가기 시작한 것입니다. 그들을 구출하기 위하여 30인치 크기의 굴을 파는 시끄러운 소리가 아래에 갇혀 있는 사람들에게는 삶의 소망이었습니다. 땅을 파던 기계가 중간에 부러지자 구조대가 새로운 기계를 구하는데 18시간이 걸렸습니다. 이 정적은 그들에게 죽음이요 절망이었으나 드디어 그들을 태우는 바구니가 내려오고 그들은 밝은 빛을 보았습니다.

하나로 뭉치고 협력하면 생명이 일어납니다.

하나로 뭉치면 생명을 일으킨다

⟫⟫ 서로 사랑하고 신뢰할 때 ⟪⟪

대량 학살 무기를 보유하고 있다고 인정되는 이라크는 지금 미국에 대하여 최고의 적성 국가요, 온 세계에 큰 위협입니다. 이라크는 이전에 인접국가 쿠웨이트를 점령하다가 미국의 공격을 받고 물러났습니다. 이라크에서는 팔레스타인 자살 폭탄 테러를 장려하며 테러자를 순교 영웅으로 만들고 그 가족의 생활을 보장합니다. 생물 무기로 이스라엘을 위협합니다.

부시는 이라크를 '악의 축'이라 규정하고 무력으로 공격하여 후세인 대통령을 제거할 계획을 하지만 이라크는 미국을 '악의 세력'이라 하며 전쟁 태세로 대비하고 있습니다. 이라크는 최근 그들이 축출했던 유엔의 대량 학살 무기 조사반을 다시 받아들이겠다고 하며 그들에게는 대량 학살 무기가 없다고 주장합니다. 그러나 유엔은 그들을 믿지 못하고 있습니다. 살기 위해서라지만 거짓과 불신은 결국 파괴와 죽음을 몰고 옵니다.

나라가 분단된 이후 북한이 선전하는 대부분은 거짓말이었습니다. 한국전쟁을 일으키고도 그들은 남한에서 북침을 하였다고 말합니다. 북한을 일주일간 방문하면서 안내인을 관찰하며 받은 느낌은 그들의 말이 모두 거짓이라고 하는 것입니다. 이것은 북한에서 살다가 떠나온 모든 사람들이 공감하는 사실입니다. 참으로 믿기 어려운 북한 정부입니다. 남한 정부에서도 그것을 모를 리가 없습니다. 그러나 남한 정부는 북한을 믿어 주는 것 같습니다. 모든 말이 거짓이라고, 악의 축이라고 몰아붙인다면 어떻게 대화와 화합의 길이 열리겠습니까? 남한은 실력과 자신감을 가지고 설령 속아 손해를 보아도 대처할 준비를 하며 북한을 믿어 주는 것 같습니다. 믿음은 생존과 관계 형성에 참으로 중요한 요소입니다.

주인이 종업원을 믿지 못한다면 어떻게 그들에게 열쇠를 맡기고 같이 일할 수 있겠습니까? 부족한 점이 있어도 서로 존중하고 믿을 때에 협력하고 일하는 동기와 성취감을 가집니다. 행복한 가정은 부부가 어디 있든지 서로 사랑하고 신뢰할 때 이루어집니다. 교회는 믿음의 공동체입니다. 신실한 하나님을 확실하게 믿으며 동시에 목사와 장로, 교인들이 서로 사랑하고 존중하며 서로 신뢰하고 따를 때에, 서로를 세워 주는 아름답고 풍성한 삶이 이루어질 것입니다.

서로 사랑하고 신뢰할 때

>>> 휴식과 재생 <<<

여러분의 기도에 힘입어 일주일 동안의 휴가를 잘 마치고 돌아온 것을 감사하게 생각합니다. 이번 휴가는 여러 면에서 좋았습니다. 처음 3일은 뉴욕 웨스트체스터 교회의 가족 수양회를 인도하는 것이었습니다. 그 교회는 이전에 우리 한미에서 섬기신 이태준 목사께서 시무하는 교회입니다. '적극적인 사고의 능력'으로 잘 알려진 노만 빈센트 필 목사의 고향인 폴링 소재의 아름다운 수양관에 200여 명이 모여 유익한 시간을 가졌습니다. 어디서나 사람들을 만나고 섬긴다는 것은 기쁜 일입니다.

월요일부터 필라델피아 근교에 사는 큰딸 집에서 지낸 시간은 참다운 휴가였습니다. 머리를 비우고 마음을 편안하게 하여 쫓기는 것 없이 자유롭게 잠을 자며 쉴 수 있다는 것이 참으로 좋았습니다. 더욱이 "하미(할머니)", "하비(할아버지)" 하는 재롱스런 목소리를 들으며 19개월짜리 손녀의 손을 잡고 정원과 집 뒤의 시내를 걷는 것은 에덴 동산의 느낌을 갖게 하였습니다. 18년 동안 한 교회에서 가족 이상의 사랑을 받으며 행복하게 믿음을 키우며 봉사할 수 있도록 딸을 지도해 주신 세 분 목사님 부부를 청하여 보답의 사랑을 나눈 것도 좋은 시간이었습니다.

휴가의 절정은 무엇보다 가족의 재회였습니다. 어머님을 모시고 저의 가족과 동생 가족, 사촌 가족 29명이 함께 모인 것입니다. 시카고, 뉴욕, 뉴저지, 펜실베이니아, 또한 멀리 한국에서 온 가족들까지, 이렇게 큰 모임은 처음이었습니다. 목사가 4명, 전도사가 5명이 있어 모두가 주님과 교회를 섬기는 일에 헌신하고 있는 것이 감사했습니다. 28년 전 공부를 위해 혈혈단신 이 땅을 찾았지만 지금 이렇게 발전하였으니 감사가 넘쳤습니다.

휴가가 끝나자 몸과 마음이 가벼워지고 새 힘이 생겼습니다. 그동안 여념 없이 돌아가던 기계가 휴식과 재생을 맛본 것입니다. 제대로 일하기 위해서는 쉬는 것이 필요하다는 것을 실감하였습니다. 주의 은혜를 찬양하며 새롭게 일을 시작하는 것에 감사드립니다.

>>> 수도꼭지를 고치며 얻은 교훈 <<<

모르던 것을 새롭게 배우고 고장난 것을 고친다는 것은 큰 기쁨입니다. 정원에 물을 주는 수도꼭지가 있는데, 어느 날 이것이 겉돌아 가면서 잠기지 않아서 집 전체의 물을 잠가야 했습니다. 홈 디포에서 전문점을 소개 받고도 시간이 없어 가지 못하자 이런 일에 많은 도움을 주시는 장로님이 오셨습니다. 수도꼭지를 빼지 못하고 임시방편으로 물을 사용하도록 해주셨습니다. 참으로 감사합니다.

지난 월요일에 장로님이 기구를 가지고 오셔서 수도꼭지 손잡이를 뽑고 안에 있는 한 자 길이의 부품을 뽑아내셨습니다. 겨울에 수도가 얼지 않도록 한 자 깊이 벽 속에서 잠기는 것입니다. 전문점에 갔더니 어느 회사의 무슨 제품임을 금방 알았습니다. 전문가는 달랐습니다. 고장 난 그 부품 자체는 없기에 전체를 사서 알맹이를 뽑아 사용하라는 것입니다. 기분 좋게 돌아와 손잡이를 뽑고 속에 있는 것을 빼내려는데 되지 않고 플라스틱

부분이 망가지려고 했습니다. 장로님 회사로 가서 큰 기계에 고정시키고 기술자 두 사람이 합세하여 돌리니 돌아가는 것 같더니, 그만 부러지고 말았습니다. 다시 전문점으로 갔더니 동정을 하면서 새로운 것으로 바꾸어 주었지만 필요한 부품을 분해해 주지는 않았습니다. 다시 장로님 회사로 갔습니다. 다른 사람이 자세히 들여다보더니 열기 닫기의 화살표가 있다면서 오른쪽으로 잠깐 돌려 쉽게 분해하였습니다. 기분 좋게 바로 고치고 다시 정원에 물을 줄 수 있었습니다. 보통 닫기는 오른쪽, 열기는 왼쪽으로 돌리는 것이기에 무조건 왼쪽으로만 돌렸는데 열리지는 않고 망가져버린 것입니다. 큰 것을 배웠습니다.

문제를 풀기 위해 많은 사람이 돕고 협력했습니다. 그러나 힘을 모아도 제작자의 처방을 따르지 않으면 되지 않는 것입니다. 선입관, 상식이 아니라 지시를 미리 읽고 따랐더라면 고생하지 않았을 것입니다. 인생 문제의 해결이 바로 여기에 있습니다. 창조주의 길을 따르기만 하면 모든 인생의 문제는 풀리게 되어 있습니다.

수도꼭지를 고치며 얻은 교훈

>>> 일에 임하는 바람직한 자세 <<<

미국으로 온 우리들은 일하러 온 것 같습니다. 대개가 미국에 도착하는 그 다음날부터 열심히 일합니다. 한국에서는 보통 하루 8시간씩 주 5일 40시간을 일하지만, 우리는 주 60시간 이상 일하고 있는 실정입니다. 한국에서 이만큼 열심히 일하였더라면 벌써 부자가 되었을 것이라는 말도 많이 합니다. 그러나 성실하게 열심히 일하면 일하는 대가와 결과가 제대로 있기에 일하는 보람과 재미가 있습니다.

사람들은 일의 귀천을 말합니다. 중세 유럽에서는 성직이 가장 귀한 것이었고, 옛날 한국에서는 사농공상이라고 하여 학자, 농부, 제조업자, 상인의 순서를 정하였습니다. 요즘은 '3D' 곧 어렵고(difficult), 더럽고(dirty), 위험한(dangerous) 일은 하지 않으려고 하기에 외국에서 온 사람들이 이 일을 맡아 하고 있습니다. 미국에서도 많은 외국 노동자들이 농장이나 공장에서 어렵고 힘든 일을 합니다. 그러나 광산의 깊은 굴속이나 뜨거운 용광로 옆에는 아직도 열심히 일하는 많은 미국 백인들이 있습니다. 이 나라에서는 주어진 일을 열심히 하여 공익에 기여하는 것으로 귀천을 정하는 것 같습니다. 많은 아이들이 청소부나 소방수를 원합니다.

저는 처음 미국에 와 공부를 하면서 학교 식당에서 접시를 닦고 초등학교 교실을 청소했습니다. 방학 때는 밤을 새워 주차장을 경비하는 일도 해 보았습니다. 한국에 있었다면 목사로서 그런 일을 한다는 것은 상상도 할 수 없는 일이었지만 변화된 환경에 적응하며 이민의 삶을 몸소 체험하고 노동의 신성함을 이해하는 큰 소득을 얻을 수 있었습니다.

우리는 어떤 일을 어떻게 하는 것이 좋을까요? 무슨 일이든 공익이 되고 사람들을 세워 주고 하나님을 영화롭게 하는 것은 귀한 일입니다. 도적질하고 파괴하는 것은 사단의 일입니다. 게으름은 병이요 죄이지만, 일에만 집중하는 일 중독자가 되어 건강과 관계를 상하게 하는 것도 잘못입니다. 무슨 일을 어떻게 하든지 우리는 마지막 날 하나님 앞에서 판단을 받을 것입니다.

일에 임하는 바람직한 자세

>>> 결과도 중요하나 그 과정도 중요하다 <<<

'민주주의를 위해 독재를 할 수 있는가? 평화를 얻기 위해 전쟁을 할 수 있는가?' 라는 말이 있습니다. 민주주의와 평화는 우리가 갖기 원하는 목표인데 그것을 이루기 위하여 비민주적인 방법과 전쟁을 사용할 수 있는가 하는 것입니다. 이라크가 대량 학살 무기를 보유하고 있다고 믿어지기에 그 나라는 미국과 온 세계에 위협이 된다고 보고, 부시 대통령은 이라크가 그 무기를 사용하기 전에 먼저 그 나라를 무력으로 공격하여 그 무기를 사용하지 못하게 해야 한다는 정책을 세우고 있습니다. 과정은 어떠하든지 결과가 좋아야 한다는 것이지만 여기에는 찬반 양론이 있습니다.

결과가 중요하지만 과정도 참으로 중요합니다. 제가 버지니아에서 마지막 학위를 위해 공부할 때에 학업에만 열중하고 있었습니다. 한번은 저를 지도하는 교수님께서 저의 부부와 같은 과의 다른 두 교수 부부를 초청하여 저녁을 대접하는 가운데 저에게 어떻게 지내는지 물었습니다. 주중에는 도서실과 연구실, 주말에는 교회 봉사로 시간을 보낸다고 하였더니 가족과 함께 지내는 시간은 언제인지 물었습니다. 식사하는 시간 이외에는 아이들을 만나기가 어려운 형편이라고 하였더니 절대로 그러지 말라고 당부하였습니다. 아이들과 아내가 나를 바라보고 있는데 함께 지내는 시간을 가지라는 것입니다.

교수님의 자상한 충고에 깊은 감명을 받고 제가 공부하는 동안 직장에서 힘든 일을 하고 있는 아내와 의논하였습니다. 계속 공부에 집중하여 조금 일찍 학업을 끝낼 것인가, 아니면 조금 시간이 더 걸리더라도 가족과 함께 지내는 시간을 가지는 것이 좋겠는가 의논하다가 결과와 마찬가지로 과정도 중요하다는 것에 합의했습니다. 그리고 이전과는 달리 가족들과 많은 시간을 가지게 되었는데 돌아보면 참으로 잘한 일인 것 같습니다.

교회의 선교 바자회와 러미지 세일이 다가옵니다. 위원들이 함께 모여 기도하며 협력하고 사랑을 나누는 것이 당일의 모금보다 더 큰 유익이 됩니다. 우리의 삶이 하나님이 주신 아름다운 하루하루가 되기를 바랍니다.

결과도 중요하나 그 과정도 중요하다

판 권
소 유

목회통신 1

목사와 교인의 만남

2007년 4월 16일 인쇄
2007년 4월 20일 발행

지은이 | 이종형
발행인 | 이형규
발행처 | 쿰란출판사

주소 | 서울 종로구 이화동 184-3
TEL | 02-745-1007, 745-1301, 747-1212, 743-1300
영업부 | 02-747-1004, FAX / 02-745-8490
본사평생전화번호 | 0502-756-1004
홈페이지 | http://www.qumran.co.kr
E-mail | qumran@hitel.net
　　　　　qumran@paran.com
한글인터넷주소 | 쿰란, 쿰란출판사

등록 | 제1-670호(1988.2.27)

책임교열 | 임영주 · 최진희

값 11,000원

ISBN 978-89-5922-362-6 03230